# Hijas de la Luna

# Die Legende der Töchter des Mondes

## Band 1

von

Jaliah J.

*Für meine Familie und alle Leser,*
*ihr seid die Besten*

**Impressum**



J., Jaliah
Hijas de la luna – die Legende der Töchter des Mondes Band 1

Berlin, Dezember 2014
Erstauflage
Lektorat: Günter Bast
Cover/Bildgestaltung: Klaud Design – Marie Wölk

Herstellung und Verlag:
BoD - Books on Demand, Norderstedt

ISBN 978-3-7347-3150-1

**www.jaliahj.de**

# Chronik

## Der Clan der Yasus

| | |
|---|---|
| Calin: | 24 J., Anführer des Rudels |
| Luca: | 16 J. |
| Vlad: | 17 J. |
| Radu: | 22 J. |
| Tolja: | 20 J. |
| Davud: | 23 J. |

## weitere Personen vom Yasus-Clan

| | |
|---|---|
| Cesar: | 22 J., Bruder von Calin |
| Ovid u. Adina: | Eltern von Calin und Cesar |
| Sora: | Zwillingsschwester von Vlad |
| Graham: | Stammältester |

## Der Zirkel der Vampire

| | |
|---|---|
| Vladan: | Anführer des Zirkels, 879 J., mit 28 J. verwandelt |
| Catalina: | 613 J., im Alter von 23 Jahren verwandelt |
| Lucian: | 613 J., im Alter von 24 Jahren verwandelt |
| Nicola: | 480 J., im Alter von 21 Jahren verwandelt |
| Dorian: | 502 J., im Alter von 22 Jahren verwandelt |
| Tristan: | 300 J., im Alter von 30 Jahren verwandelt |

## Die Wächter

Gabriel, Felicitas und Raphael

## Die Töchter des Mondes

| | |
|---|---|
| Saphira: | 20 Jahre |
| Luna: | 16 Jahre |

## Kapitel 1

Traurig und hoffnungslos zugleich blickt Saphira aufs Meer, welches heute ihren Gemütszustand widerzuspiegeln scheint. Es ist unruhig und peitscht wütend die Wellen gegen ihren Lieblingsfelsen. Sie atmet tief ein, inhaliert die klare, warme Meeresluft und sieht zur Sonne hoch.

Sie liebt ihre Heimat Venezuela über alles, und morgen muss sie diese verlassen. Wehmütig denkt sie daran, wie sich ihre Mutter Esmeralda damals gefühlt haben muss, als sie sich vor über 20 Jahren in der gleichen Situation befand. Saphira weiß fast alles über ihre Mutter nur aus Erzählungen. Ihre Oma Rosaria, bei der sie und ihre jüngere Schwester hier leben, hat ihnen oft von ihrer Mutter erzählt und vor allem von Esmeraldas tiefer Liebe zu dieser kleinen Insel, die ihr Zuhause ist.

Ihre gesamte Familie lebt hier in Venezuela in der Region Pampatar, die auch als Salzregion bekannt ist und bis heute unzählige Salzminen aufweisen kann. Saphiras Blick geht wehmütig auf die gerade vom Festland ankommende Fähre, welche sie morgen auch dorthin bringen wird. Diese Fähren, die mehrmals am Tag hin- und herfahren, sind die einzige Verbindung zwischen dem Festland und ihrer kleinen Insel Margarita, ihrer geliebten Heimat. Auch wenn sie es hier nicht immer leicht hatte, vor allem in letzter Zeit nicht, auch wenn sie weiß, dass es immer so vorgesehen war, sie will dieses Stück Erde nicht verlassen.

Saphira schließt die Augen und erinnert sich an ein Foto ihrer Mutter, das sie als kleines Kind hier am Strand spielend zeigt. Esmeralda, wie auch alle anderen weiblichen Mitglieder ihrer Familie, hatte, genau wie nun ihre Töchter, für diese Region ungewöhnlich helle, blonde Haare. Sie alle sind heller als hier üblich, haben hellere Haut, blonde Haare, und die meisten weiblichen Mitglieder ihrer großen Familie haben blaue Augen.

Saphira schüttelt unwillkürlich ihren Kopf und nimmt eine Strähne ihrer langen blonden Haare in die Hand. Eigentlich ist ihre Familie schon fast berühmt hier in der Umgebung für die schönen Töchter, die aus dieser stammen. Eine alte Geschichte, die sie selber auch schon des Öfteren gehört hat, besagt, dass eine ihrer Vorfahren, nach der ihre Mutter Esmeralda benannt wurde, vom Mond mit Schönheit gesegnet worden ist. Saphira hatte noch nie viel übrig für solche alten Märchen, aber da es um die Frau ging, nach der ihre Mutter benannt worden ist, hat sie ihr doch des Öfteren gelauscht.

Es war vor vielen Hundert Jahren, die junge Esmeralda lebte mit ihrer Familie noch an einem anderen Ort. An welchem Ort, weiß niemand mehr genau, aber für die rational denkende Saphira nur ein Beweis dafür, dass ihre hellen Züge nicht von irgendwelchen Segnungen des Mondes, sondern einfach aus der Abstammung der Familie kommen. Esmeralda war immer ein hübsches Mädchen, doch als sie ihr Herz an den beliebtesten Jungen des Ortes verlor und er sie keines Blickes würdigte, begann sie an sich zu zweifeln. Jede Nacht soll sich Esmeralda an einen See geschlichen und geweint haben. Sie hat leise den Himmel angefleht, dass sie hübsch genug wäre, um diesen Jungen für sich zu gewinnen.

So ging es Woche für Woche, Esmeralda wurde immer verzweifelter und ihre Bitten immer lauter. Eines Nachts dann soll der Mond klar und hell über dem See gestanden und sich Esmeraldas Flehen geduldig angehört haben. Nachdem sie so sehr geweint hatte, ging sie ein paar Schritte in den Fluss, um sich das Gesicht mit dem kühlen Wasser zu erfrischen. In diesem Moment soll ein Strahl des Mondes sie beleuchtet haben. Der Mond hatte Mitleid mit diesem armen, verzweifelten Mädchen und segnete es mit einer so ungewöhnlichen Schönheit, dass sie jeder, der von dieser Geschichte gehört hat, von da an nur noch die Tochter des Mondes nannte.

Esmeralda wurde glücklich, sie bekam ihren Traummann, der genauso wenig wie alle anderen Männer ihrer Schönheit widerstehen konnte. Sie gebar drei Töchter, jede ebenso schön wie ihre Mutter, und alle drei hatten das gleiche halbmondförmige Muttermal auf dem rechten Schulterblatt. Esmeraldas Glück währte jedoch nicht lange, kurz nach den Geburten der Töchter fing ihr Mann, der sonst so glücklich mit seiner schönen Ehefrau war, an, sie zu beschimpfen und zu hassen.

Denn seine Töchter waren alle drei hell, hatten blonde Haare und blaue Augen, während er und Esmeralda beide dunkel waren. Am Ende verließ er Esmeralda, und sie zog ihre drei Engel alleine groß. Sie war stark für ihre Töchter, doch der Kummer um ihre verlorene große Liebe saß tief.

So ist es vielen anderen der kommenden Generationen weiblicher Mitglieder in ihrer Familie ergangen, mögen sie alle auch schön gewesen sein, wirkliches Glück hat keine von ihnen gefunden. Bis auf Saphiras und Lunas Mama. Das ist die Geschichte, bei der ihre Oma Rosaria immer wieder aufblüht und ihre blauen Mandelaugen anfangen zu leuchten. Saphiras Mutter war genau wie alle anderen Mädchen aus der Familie sehr begehrt, und einige der wohlhabenden Familien hatten sie schon für ihre Söhne ins Auge gefasst, doch Esmeralda hatte an keinem von ihnen Interesse.

Als sie eines Tages, kurz nach ihrem 17. Geburtstag, mit Rosaria aufs Festland ging, um dort einige Lebensmittel auf einem der großen Märkte einzukaufen, traf sie zufällig auf Anis, einen 20-jährigen Bauernsohn. Anis kannte die Geschichte um die schönen Töchter des Mondes, jedoch wusste er nicht, dass es sich bei Esmeralda um eine von ihnen handelt.

Es war bei beiden Liebe auf den ersten Blick, sie unterhielten sich eine ganze Weile, während Rosaria beim Schneider war. Als sie sich verabschiedeten, war für Anis klar, dass dies seine zukünftige Frau sein sollte. So schlich er sich mehrmals die Woche auf die kleine Fähre, um zur Insel Margarita zu gelangen und dort am Strand ein paar Stunden mit Esmeralda zu verbringen. Beide konnten sich bald kaum mehr voneinander trennen, wenn seine Fähre zurück ging.

Es dauerte nicht lange, und aus der geheimen Liebschaft wurde eine öffentliche Verlobung. Diese brachte zwar viele Probleme mit sich, da es niemand nachvollziehen konnte, wie sie einen einfachen Bauernsohn einem wohlhabenden Mann aus gutem Haus vorziehen konnte, aber Saphiras Mutter setzte sich durch.

Anis hatte das Glück, durch einen Bekannten einen gut bezahlten Job in Rumänien, in einer der vielen Berggegenden angeboten zu bekommen, um dort bei der Waldaufforstung zu helfen. Eigentlich gab es nicht viel zu überlegen, in Venezuela hatte er nicht die Möglichkeit, so gutes Geld zu verdienen, doch er wusste, wie sehr seine Esmeralda an ihrer beider Heimat hing.

Letztlich ging sie aber nach ihrer schönen kleinen Hochzeit mit ihm nach Rumänien, denn ihre Liebe zu ihm war stärker als die Liebe zu Venezuela. Trotz ihrer ständigen Sehnsucht nach ihrer Familie und ihrer Heimat war Esmeralda glücklich. Sooft es ging, besuchte sie ihre Familie, vor allem nachdem erst Saphira und dann Luna geboren worden waren. Zwar gewöhnte sie sich nie wirklich an das dunkle, nasse Rumänien, doch ihr Glück legte sie in ihre kleine Familie.

Zwei Jahre nach Lunas Geburt traf sie alle ein schwerer Schlag, als Esmeralda an einer Lungenentzündung verstarb. Luna und Saphira waren beide noch klein, aber sie spürten die tiefe Trauer ihres Vaters und mussten selbst ihren Schmerz verarbeiten, von da an ohne Mutter aufzuwachsen. Am Sterbebett versprach Anis seiner Frau, dass ihre beiden Töchter, sobald diese ins Schulalter gekommen waren, ihre Kindheit in Venezuela verbringen sollten. Esmeralda wollte ihnen eine ebenso schöne Kindheit bescheren, wie sie sie selbst genossen hatte.

Allerdings, und das war von Anfang an klar, sollten die beiden, sobald sie volljährig sind und somit das Werben um sie anfangen würde, nach Rumänien zu ihrem Vater zurückkehren. Esmeralda schien schon zu ahnen, dass es nicht leicht werden würde, und wollte den beiden das Ganze ersparen, damit sie sich frei und ohne Druck einen Mann aus Liebe suchen konnten, so wie sie ihr Glück mit Anis gehabt hatte.

Als Saphira sechs wurde, brachte Anis schweren Herzens seine beiden Töchter zu seiner Schwiegermutter. Er wusste, dass es für sie das Beste ist, da er aufgrund seiner vielen Arbeit kaum Zeit für sie hatte. Er wusste, wie liebevoll sie in den Händen ihrer geliebten Oma aufwachsen würden, doch nun auch seine beiden Engel zu verlassen brach ihm noch einmal das Herz.

Saphira lächelt schwach, als sie diese ganzen Erinnerungen einholen, und wendet sich zu ihrer Schwester Luna um, die schon ungeduldig im Sand steht und sie mahnend ansieht. »Komm, Saphira, wir müssen, in ein paar Stunden geht unser Flug.« Saphira runzelt die Stirn, am liebsten hätte sie ihre jüngere Schwester einfach ignoriert und weiter aufs Meer geschaut, doch sie weiß, dass sie diesmal nicht drum herumkommt, in das Flugzeug zu steigen.

Sie liebt ihren Vater über alles; so oft es ihm möglich war, ist er gekommen und hat seine beiden Töchter besucht. Aber sie will Venezuela nicht verlassen, hat keine Lust auf das fremde Land, in das sie jetzt fliegen. Zwar ist sie seit ein paar Monaten 19 Jahre alt und könnte rein theoretisch darauf bestehen hierzubleiben, doch ihre Schwester, von der sie noch nie getrennt war, alleine gehen zu lassen, ist noch unmöglicher, als sich mit dem Gedanken an ihre neue Heimat anzufreunden.

Der Sprachunterricht, den sie seit ihrem 12. Lebensjahr regelmäßig bekommen, damit ihnen die Umstellung später nicht so schwerfällt, hat sie schon immer genervt. Aber neben Venezuela will sie vor allem ihre Familie nicht verlassen: Sie liebt diesen ungeheuren Zusammenhalt, den sie hier untereinander haben. Ihre Oma, ihre Tanten und Cousinen, alle sind sich so nah, man sieht sich ständig, Saphira kann sich nicht vorstellen einen Tag zu verbringen, ohne ihre Gesichter zu sehen.

Sie weiß, es wird keinem von ihnen leichtfallen, sie beide gehen zu lassen. Vor allem ihrer Oma bricht es das Herz, manchmal hört sie Rosaria leise nachts weinen, doch auch sie ist der festen Überzeugung, es wird das Beste für die beiden Schwestern sein. So versuchen alle hier, eine gute Miene zum bösen Spiel zu machen, und schwärmen, wie glücklich sie sich schätzen können nach Europa zu dürfen.

Saphira kann darüber nur böse lachen, es ist ja nicht so, als ob sie in ein atemberaubendes Land wie Spanien oder Italien ziehen würden. Nein, sie ziehen nach Rumänien, in die hintersten Wälder. In ihrer Umgebung gibt es nicht viel außer Bäumen und einem See, von dem ihr Vater immer so schwärmt, weil er weiß, dass Saphira das Meer vermissen wird.

Auch Luna fällt der Abschied schwer, doch ist Saphiras jüngere Schwester schon immer die Einsichtigere, Nachgiebigere gewesen. Die Geschehnisse der letzten Monate haben Luna anscheinend so verschreckt, dass sie jetzt mittlerweile sogar ziemlich zufrieden darüber scheint, dass sie beide Venezuela verlassen.

Saphira ist schon immer mehr die Temperamentvollere, die Ungestüme gewesen. Sie hätten schon vor zwei Jahren zu ihrem Vater ziehen sollen, aber Saphira konnte so lange auf alle einreden, dass die Frist verlängert wurde. Eigentlich hätten sie noch ein halbes Jahr Zeit gehabt, doch die letzten Ereignisse waren so schwerwiegend, dass ihr Vater sofort die Flüge gebucht hat, und nun gibt es kein Zurück mehr, sie werden Venezuela verlassen.

Bevor sie vom Felsen springt und sich mit Luna durch die kleinen Gassen der Stadt in ihr geliebtes Zuhause bei ihrer Oma aufmacht, wo ihre gesamte Familie zum Abschied schon auf sie warten wird, wirft Saphira noch einen letzten Blick zurück aufs Meer, und ihr Herz zieht sich schmerzhaft zusammen, als sie daran denkt, dass sie diesen Anblick lange nicht mehr haben wird.

Zur gleichen Zeit in Rumänien, in einem – ein paar Kilometer von Barnar entfernten – tief im Wald versteckten Schloss.

Calin sieht sich in dem riesigen altehrwürdigen Empfangssalon um. Wie oft war er eigentlich schon im Schloss der Wächter? An die 100 Mal bestimmt. Außer diesem beeindruckenden Raum, in dem der große gedeckte Tisch, einige rote Läufer von edlem Aussehen und ein überdimensionales Porträt von Gabriel fast verloren wirken, hat er nie ein anderes Zimmer gesehen. Mindestens 20 weitere Räume dürften sich in diesem Schloss aber noch befinden. Er betrachtet das Porträt wie schon so oft, doch zum ersten Mal fragt er sich, ob Gabriel – das mächtigste und nach seinem Wissensstand älteste Wesen in der Mythenwelt – schon immer so aussah.

Das Porträt ist sicherlich schon mehrere Hundert Jahre alt, und heute sieht er noch genauso aus wie auf dem Bild, als wäre es gestern entstanden. Seine langen strohigen weißen Haare, der weiße Bart, die typische schwarze Sonnenbrille und seine lange weiße Robe. Noch nie hat Calin ihn anders gesehen, er muss doch auch mal anders ausgesehen haben. Eingefrorenes Fleisch, welches nicht mehr altert, kennt er nur von den verdammten Parasiten, den Blutsaugern, aber zu denen gehört Gabriel nicht, wie alt er wohl ungefähr sein mag?

»Ts ts, so etwas fragt man nicht!« Calin wird aus seinen Überlegungen herausgerissen und wendet seinen Blick zu Raphael um, der gerade den Raum betritt. Im Gegensatz zu Gabriel, der trotz all seiner Macht äußerlich eher schmächtig wirkt, sieht man dem sicherlich fast zwei Meter großen und breit gebauten dunkelhäutigen Raphael seine Macht sofort an. »Danke«, sein so typisches Grinsen und seine weißen Zähne lenken Calin wieder ab und erinnern ihn an Raphaels nervigste Gabe, die des Gedankenlesens der anderen. Raphael schlägt im Vorbeigehen Davud freundschaftlich auf die Schulter, was dieser allerdings nur mit einem leichten Kopfnicken erwidert.

Obwohl Davud der Ungezähmteste, Widerspenstigste in ihrem Rudel ist, scheint Raphael genau ihm sehr viel Sympathie entgegenzubringen. »Vielleicht auch genau deshalb?«, lacht Raphael in die Runde und zeigt auf den gut gefüllten Tisch und die noch leeren Stühle. »Setzt euch, die anderen treffen in ein paar Minuten ein.«

Calin sieht zu seinem Rudel. Radu und Davud sind genauso wenig begeistert von diesem einberufenen Treffen wie er, aber setzen sich widerwillig. Sein bester Freund Tolja sieht das alles anscheinend nüchtern und gleichgültig wie fast alles. Nur die beiden jüngsten Mitglieder, Vlad und Luca, sehen sich begeistert den gedeckten Tisch und die großen Braten an, die zugegebenermaßen köstlich nach frischen Kräutern duften.

Da Vlad und vor allem Luca noch nicht sehr lange zum Rudel gehören, entwickeln sich ihre Körper noch. Es dauert, bis sie sich durch die nächtlichen Verwandlungen und die stundenlangen Streifzüge durch die Wälder die gleiche Muskelmasse aufgebaut haben wie alle anderen, und so lange essen sie sicherlich das Doppelte, auch wenn keiner von ihnen gerade wenig zu sich nimmt.

»Bedient euch ruhig. Bis alle anwesend sind, vergehen sicherlich noch ein paar Minuten«, schlägt Raphael vor und sieht dabei aus einem der vielen vergitterten Fenster, durch welches man die gerade untergehende Sonne erkennt. Calin kann sich ein Aufstöhnen nicht verkneifen, während sich alle um den Tisch versammeln und Vlad und Luca sich Essen auf die Teller häufen. Allein das Wissen, dass gleich die Parasiten hier aufkreuzen, verdirbt ihm den Appetit. Auch die anderen lehnen sich angespannt zurück.

Es dauert keine zehn Minuten, und die Tür zum großen Saal wird geöffnet. Calin braucht sich nicht einmal umzudrehen. Sobald Vampire in der Nähe eines der Mitglieder des Rudels auftauchen, schlägt ihr Körper Alarm.

Alles in ihnen bäumt sich auf, und der Wolf will heraus. Zwar muss sich jeder von ihnen jede Nacht verwandeln, aber sie alle haben das so weit unter Kontrolle, dass sie selbst entscheiden können, wann es so weit ist. Ein Knurren begleitet das Eintreten der Blutsauger. Calin wirft Davud einen warnenden Blick zu. »Wenn nicht, gibt es ja auch noch mich«, mischt sich Raphael mit seinem typischen Lachen ein und erinnert belustigt an seine andere Gabe, den Willen eines jeden beherrschen zu können. Er erhebt sich fast schwebend von seinem

Stuhl und öffnet einladend die Arme, während Calin angewidert seinem Blick folgt.

»Vladan ... willkommen.« Calin geht die ihm nur zu gut bekannte Gruppe einmal mit seinen Augen ab. Vladan, herrschend und überheblich wie immer, an seiner Seite die zugegebenermaßen schöne Catalina, aber das ist ja auch das, was ihnen bei ihrer Abartigkeit hilft. Sie alle sehen aus wie ... gemalt ... perfekt, ein gutes Lockmittel für alle Menschen.

Die andere Frau, Nicola mit den roten Locken, wirkt ebenso perfekt neben dem immer sehr ausgelassenen Dorian, der, wäre er nicht ein verdammter Parasit mit seinen verwuschelten blonden Haaren, als Surfboy durchgehen würde. Das, was sie verrät, was ihre Identität klar zeigt, sind ihre schwarzen Augen, die sie alle haben, schwarz, so wie ihr Inneres ... seelenlos.

Raphaels lautes Seufzen und der warnende Blick zum gesamten Rudel zeigen deutlich, dass nicht nur Calin diese Gedanken hat. Sie alle hassen die Vampire, und umgekehrt sieht es nicht anders aus. Also wundert es auch keinen, dass in dem Moment, wo sich der Vampirzirkel auf die Stühle niederlässt, Gabriel und Felicitas den Raum betreten, als wollten sie die bestehende Spannung so kurz wie möglich halten.

Solche Treffen sind immer heikel, in diesem Umkreis gibt es die Wächter, sie, den Clan der Yasus, und eben die Vampire. Es lässt sich manchmal nicht vermeiden, dass die Wächter, die sie alle genau beobachten, solche Treffen einberufen, auch wenn Calin nicht genau weiß, warum es diesmal der Fall ist. Es gab schon lange keinen Konflikt mehr zwischen dem Rudel und dem Zirkel, keiner seiner Männer ist aus der Reihe getanzt. Das Einzige, was er sich vorstellen kann, ist, dass einer der Blutsauger ihr Abkommen mit den Wächtern nicht eingehalten hat.

Er hätte zwar seine Freude daran, wenn die Blutsauger bestraft würden, der Gedanke wiederum, dass sie sich nicht an den Pakt gehalten haben, einen gesunden Menschen verwandelt oder getötet haben, lässt in ihm ein Ekelgefühl hochkommen. »Nur Geduld, die Herrschaften«, unterbricht Raphael die Stille, und offensichtlich ist Calin nicht der Einzige, der wissen möchte, was sie hier zu suchen haben. »Und natürlich die Ladies«, zwinkert Raphael in die Richtung der beiden Vampirinnen, doch nur die rothaarige Nicola lächelt leicht zurück.

Die Vampire und die Wölfe beachten sich nicht weiter, neben Vlad und Luca nehmen sich auch der glatzköpfige Tristan und der blonde Surfer Dorian etwas zum Essen, während Gabriel sich mit einem allseits wohlbekannten Räuspern Gehör verschafft, obwohl niemand ein Wort sagt.

»Es freut mich, dass ihr es alle einrichten konntet, ich weiß, dass jeder von euch viel zu tun hat.« Tristan lacht kurz hart auf, und auch Calin weiß, dass es nur Höflichkeitsgeplänkel ist, was Gabriel dort von sich gibt. Wenn er ruft, muss man antreten, von Einrichten kann da nicht die Rede sein. »Wie dem auch sei«, Gabriel fährt unbeirrt fort, er steht dabei auf und läuft im Saal auf und ab. Das tut er meist, wenn die Themen ernst sind und selbst ihn beunruhigen, und das will schon etwas heißen.

Alle folgen mit ihren Augen gespannt seinen Schritten.

»Wie ihr alle wisst, besitzt unsere geschätzte Felicitas die Fähigkeit, Geschehnisse in der Zukunft zu sehen.« Calin entgeht nicht Lucians etwas gereizter Blick zu der elfenhaften Schönheit, die sich jetzt ebenfalls etwas unruhig zeigt. Vor ein paar Monaten hat Felicitas vorausgesehen, dass Lucian gegen den Pakt verstoßen wird, und die Wächter haben rechtzeitig eingegriffen. Zwar kann Felicitas nichts Direktes sehen, wenn es um einen von ihnen geht, nur Bruchstücke, oder wenn sie direkt die Hand auflegt. Doch sie hat das Geschehen aus der Sicht der menschlichen Frau gesehen, und so konnte Schlimmeres verhindert werden.

Obwohl Lucian felsenfest behauptet hat, er wäre nicht schwach geworden und hätte sich unter Kontrolle, musste er die nächste Zeit immer in Begleitung raus, eine strikte Auflage von Gabriel, der außer sich war. Calin weiß gar nicht, ob er immer noch unter der Auflage liegt.

»Sie hat schon vor einiger Zeit immer wieder ein paar Bruchstücke gesehen, konnte es jedoch nicht zuordnen, aber in letzter Zeit sind die Visionen häufiger geworden. Das Merkwürdige ist, Felicitas kann nichts Richtiges erkennen, es passiert etwas, sie sieht immer wieder jemanden von euch und andere Personen.« Gabriel holt tief Luft, und Calin beugt sich etwas in seinem Stuhl vor, er spürt, dass Gabriel angespannt ist, und das passt so gar nicht zu ihm, selten bringt ihn etwas aus der Ruhe. Er nickt Felicitas zu, und sie fährt mit der Erklärung fort.

»Manchmal sind die Visionen eben mehr ein Gefühl, es wird etwas passieren, was uns alle betrifft … und ich meine alle, ich konnte erkennen, dass es um euren Zirkel genauso geht wie um euch.« Sie sieht einmal zu Calin, und er schaut ihr in ihre großen braunen Augen. »Und es muss sich dabei auch um etwas handeln, was zu unseren Kreisen gehört, das ist die einzige Erklärung, warum ich es nicht richtig deuten kann. Wir wissen selber nicht, was es sein könnte, aber es betrifft offenbar uns alle. Gibt es irgendetwas, was ihr wisst? Erwartet ihr Besuch?« Sie sieht zu Vladan.

Der sonst immer so kühle, dem man nie eine Gefühlsregung ansieht, wirkt doch tatsächlich auch einmal verwundert. »Ähmm ... nein, kein anderer Zirkel hat sich angekündigt, wir erwarten niemanden.« Felicitas' Blick schweift sofort zu Calin um, der sich leicht am Kopf kratzt. Ganz so übersichtlich wie bei den Blutsaugern ist es bei ihnen nicht.

Ihr Clan lebt direkt in der Kleinstadt Barnar. Der größte Teil der Einwohner gehört zwar zu ihnen, aber ein paar andere leben dort auch. Meistens sind das Familien, deren Männer bei der Waldaufforstung arbeiten. Sie leben am Rande der Stadt, aber sie leben doch unter ihnen. »Nein, eigentlich nicht dass ich wüsste. Wie ihr wisst, gibt es nur noch einen weiteren Clan, und der lebt in Kanada. Keiner von ihnen hat sich angekündigt, auch sonst gibt es nichts Neues. Die Männer sind gerade dabei, genug Kaminholz für die kommende Kältewelle zu schlagen, also ist viel zu tun.« Tolja unterbricht Calin. Er ist auch der Einzige, der dies ab und zu wagt, und nur, wenn es wirklich nötig ist.

»Bekommt Anis nicht Besuch? Dein Vater hat ihm doch letzte Woche beim Einrichten und Streichen geholfen.« Calin erinnert sich, dass sein Vater ein paar Tage ständig bei seinem alten Freund Anis verbracht hat, weil dieser seine zwei Töchter aus Venezuela zu sich holt. »Ja, seine zwei Töchter, irgendwelche jungen Mädchen, sie alle sind Menschen. Also nicht von Bedeutung, mehr ist uns nicht bekannt«, gibt Calin weiter und lehnt sich zurück.

Er überlegt selbst, was genau Felicitas gesehen haben könnte, denn eins ist klar:

Wenn sie etwas sieht, dann trifft es auch ein.

Eine Weile ist gänzliche Stille, alle scheinen sich selbst Gedanken zu machen, was da auf sie zukommen könnte, bis sich Gabriel erneut räuspert und mit den Händen auf dem großen braunen Esstisch abstützt. Sein Blick schweift einmal durch die so unterschiedliche Gruppe.

»Irgendetwas kommt, wird passieren, und es wird uns alle betreffen!«

# Kapitel 2

Saphira sieht aus dem Fenster des alten Jeeps ihres Vaters und lässt die Landschaft an sich vorbeiziehen. Nach diesem langen Flug hat es gutgetan, ihren Vater in die Arme zu nehmen, auch wenn es Saphira etwas erschreckt hat. Es ist erst ein paar Monate her, dass sie ihn gesehen hat, aber es kommt ihr so vor, als würde er immer schneller altern, man sieht ihm die harte Arbeit an. Trotzdem hat es ihr Herz berührt, als sie sein überglückliches Lächeln gesehen hat. Es bedeutet ihm viel, seine beiden Töchter wieder bei sich zu haben. Genau deswegen hat sie sich auch bisher alle Kommentare über ihr neues Zuhause verkniffen.

Sie fahren aus der größeren Stadt hinaus, in der es den Flughafen gibt und sie gelandet sind. Seitdem fahren sie auf einer Straße, die einfach nur von Bäumen umgeben ist. Sie sind bestimmt schon eine Stunde unterwegs, und man sieht nur Bäume, nichts anderes als tiefen Wald. Anis erzählt, dass er und sein Freund Ovid für sie beide Zimmer hergerichtet haben. Luna scheint mittlerweile schon fast begeistert und fragt neugierig nach der Schule, auf die sie nach dem Wochenende gehen wird. Saphira lehnt sich daraufhin zurück und lauscht dem Geplänkel der beiden. Sie friert, und obwohl sie an den hier gerade beginnenden Winter gedacht und einen Pullover angezogen hat, scheint ihre Kleidung für solch einen Winter gar nicht geeignet zu sein.

Es dauert eine ganze Weile, bis sie in eine Seitenstraße einbiegen, wo sie gleich mit einem alten Holzschild, auf dem Barnar steht, begrüßt werden. Kurz hinter dem Schild kommen die ersten Häuser. Es sind einfache Holzhäuser. Saphira sieht sich jedes von ihnen genau an, froh darüber, endlich etwas Abwechslung zu bekommen. Bald tauchen auch kleine Geschäfte auf, eine Buchhandlung fällt ihr gleich ins Auge. Bücher sind ihre große Leidenschaft, es gibt nichts Schöneres, als sich in eine andere Welt verzaubern zu lassen. Als sie an einer Ampel halten, stehen sie direkt vor einem kleinen Lokal.

Es dämmert gerade, und draußen vor dem Lokal sitzen mehrere Männer und spielen Karten. Nachdem sie den Jeep entdeckt haben, heben alle ihre Hände zum Gruß, und ein jüngerer Mann steht auf und kommt direkt auf den Wagen zu. Fast alle der Männer haben eine dunklere Hautfarbe, und soweit Saphira es von hier erkennen kann, scheinen sie alle ziemlich gut gebaut zu sein. Der junge Mann, der gerade auf das Auto zukommt, ist ungefähr so alt wie Luna. Er hat kurze schwarze Haare und ein ziemlich freches Grinsen im Gesicht. Saphira ist so abgelenkt, dass sie erschrickt, als ihr Vater an ihr vorbeigreift und ihr Fenster herunterkurbelt, worauf sich der junge Mann gleich hereinbeugt und Saphira und Luna ausgiebig mustert.

»Hey, Anis, das sind also deine Töchter? Freut mich, dass ihr jetzt hier seid, willkommen in Barnar.« Saphira lächelt leicht, und Luna bedankt sich höflich, während Anis stolz strahlt. »Ja, jetzt habe ich meine zwei Engel endlich hier ... Luna, Saphira, das ist Luca. Er geht mit dir zusammen zur Schule, Luna«, erklärt er an seine Töchter gewandt. Luca zwinkert Luna zu, und diese kichert leicht, was Saphira die Augen verdrehen lässt, das fängt ja gleich gut an. »Könnt ihr mich mitnehmen? Ich muss bei Calin vorbei.« Anis nickt, »spring auf, ich musste Ovid sowieso versprechen die beiden vorbeizubringen, er kennt sie nur noch als kleine Mädchen.«

Luca klopft aufs Dach und ruft den anderen Männern ein »bis gleich!« zu, während er sich auf die Ladefläche des Jeeps begibt. Als sie weiterfahren, erzählt ihnen Anis, dass es hier ähnlich wie in Venezuela auch einen großen Zusammenhalt in der Stadt gibt und er überzeugt ist, dass sich die beiden hier schnell wohl fühlen werden. Saphira sieht weiter aus dem Fenster, eigentlich wollte sie schnell ins Haus, sich einrichten, ausruhen, daraus wird wohl erst einmal nichts.

Es dauert nicht lange und sie halten vor einem Haus. Das Haus ist ähnlich wie alle anderen aus Holz, auch wenn dieses hier mit den vielen Blumen und den Rattansesseln auf der Veranda ziemlich gemütlich wirkt. Bevor sie alle aussteigen können und Luca von der Ladefläche springt, geht schon die Tür auf und eine ältere Frau mit einem langen zur Seite geflochtenen schwarzen Zopf tritt heraus. Sie lächelt warm über das ganze Gesicht, als sie Saphira und Luna erblickt, und kommt auf sie zu.

»Das ist Adina, die Frau von Ovid, sie hat euch schon als Babys im Arm gehabt ...eure Mutter und sie waren gut befreundet.« Noch immer kann Anis seinen Schmerz nicht verbergen, wenn er von Esmeralda spricht, und jedes Mal schnürt es Saphira das Herz ab. Die hübsche Frau mit der dunklen Haut und den strahlenden braunen Augen umarmt sie beide herzlich und gibt ihnen einen Kuss auf die Wange.

»Meine Güte, Anis, die beiden sind wunderschön, die Bilder, die du von ihnen hast, werden dem gar nicht gerecht, seht euch an, wie groß ihr geworden seid. Kommt rein, ihr habt sicher Hunger, ich habe für euch gekocht.« Ohne Anis weiter zu beachten, führt sie die beiden ins Haus, was dieser lachend zur Kenntnis nimmt. Luca schlendert ihnen auch nach und erhält, bevor sie ins Haus treten, einen mahnenden Blick von Adina. »Luca, wo warst du heute Mittag? Deine Mutter war hier und hat nach dir gesucht, wozu hast du ein Handy, wenn du es nicht benutzt?« Luca lacht und hält den drei Frauen die Tür auf. »Hab es in der Werkstatt bei Calin liegen lassen, ist er da?«

Als sie eintreten, kommt sofort ein großer Mann mit leichtem grauen Haar auf sie zu, der, obwohl er sicherlich so alt wie Anis ist, immer noch sehr sportlich aussieht. Auch wenn er sie anlächelt, spürt Saphira sofort sein mächtig wirkendes Erscheinen, was sie etwas verunsichert. Als er sie umarmt, tritt Anis neben sie. »Saphira, Luna, das ist Ovid, ein sehr guter Freund von mir.« Saphira bringt gerade mal ein leichtes Hallo heraus, sie ist momentan etwas überfordert mit so vielen neuen Eindrücken, während Luna fasziniert beobachtet, wie sich Luca mehrere Brotfladen nimmt, die ihm Adina hinhält, und genüsslich zubeißt.

»Schön, dass ihr endlich da seid, euer Vater konnte die letzten Tage nicht abwarten.« Saphira durchfährt ein leichter Stich, ihr war immer bewusst, dass Anis sie beide vermisst, aber offensichtlich hat sie doch etwas unterschätzt, wie sehr. Während Adina die beiden Schwestern zu Tisch bittet, schlägt Ovid Luca freundschaftlich auf die Schulter. »Calin und Tolja sind schon los, er ist davon ausgegangen, dass ihr auch schon unterwegs seid, nach eurem gestrigen Treffen hat er angenommen, dass ihr euch jetzt verstärkt um diese Angelegenheit kümmert.« Saphira hat der erste Eindruck wohl nicht getäuscht, Ovid spricht zwar ruhig mit Luca, doch sein mahnender Blick unterstreicht das mächtige Erscheinungsbild dieses Mannes.

»Oh Mann, die wieder, na gut, ich werde sie mal suchen«, er wendet sich zu Luna um. »Sollen wir dich am Montag mitnehmen zur Schule?« Luna sieht sich etwas unsicher zu Anis um, weder sie noch Saphira können wirklich einschätzen, wie Anis zu solchen Sachen steht, da sie ja nie bei ihm gelebt haben, doch der lächelt entspannt, offenbar hat er Vertrauen in die Jungs, und Luna freut sich. »Das wäre super, dann muss ich da am ersten Tag nicht alleine auftauchen.« Luca lacht und hebt zum Abschied die Hand.

»Keine Sorge, wir passen schon gut auf dich auf.« Anis und Ovid lachen ebenfalls. »Das will ich auch hoffen, lasst meinen kleinen Engel nicht aus den Augen.« Luca zwinkert Saphira und Luna noch einmal zu, und dann ist er auch schon in die mittlerweile ziemlich dunkle Nacht verschwunden.

Erst zwei Stunden später halten Luna, Saphira und ihr Vater endlich vor ihrem Haus. Das Essen, das Adina für sie gekocht hat, war wirklich lecker. Beide Schwestern haben es auch genossen, den Geschichten der drei zu lauschen, wie sie als Kleinkinder hier ihre Zeit verbracht haben. Saphira kann sich an das alles nicht mehr genau erinnern, deswegen war es schön zu hören, dass sie sich damals offenbar hier sehr wohl gefühlt haben. Ovid hat auch stolz von seinen Söhnen Calin und Cesar erzählt, die eine Autowerkstatt in der Stadt besitzen. Es war nicht zu übersehen oder zu überhören, dass ihre beiden Söhne deren ganzer Stolz sind.

Nun betrachten Luna und Saphira ihr neues Zuhause das erste Mal. Anis ist immer zu ihnen nach Venezuela gekommen, das heißt, sie haben das Haus nicht mehr gesehen, seitdem sie 6 und 3 Jahre alt waren. Trotzdem macht sich in Saphira ein leicht wohliges Gefühl breit, sie kennt das Haus, das spürt sie, auch wenn sie sich nicht mehr an Einzelheiten erinnern kann. Es ist von außen weiß gestrichen, so etwas hat Saphira hier in der Stadt noch nicht gesehen, und sie muss lächeln, in Venezuela ist fast jedes Haus weiß, ihr Vater wollte sich wohl etwas Heimat hierherbringen.

Auf der Veranda entdeckt Saphira, dass hier eine Hollywoodschaukel angebracht ist, allerdings wirkt sie ziemlich schlicht, nur aus reinem Holz, ohne Sitzpolster, sie wird anscheinend nicht genutzt. Als sie das Haus betreten, sehen sie gleich, dass es sehr gemütlich eingerichtet ist. Man kommt direkt ins Wohnzimmer, welches mit einem großen Sofa, einer Schrankwand und einem riesigen Fernseher ausgestattet ist.

Saphira entdeckt über der Couch ein großes Bild ihrer Mutter an ihrem Hochzeitstag, ihr treten die Tränen in die Augen, ihre Mutter war so wunderschön. Rund um ihr Porträt sind viele Bilder von Saphira und Luna angebracht, und auch Luna lächelt bei diesem Anblick. Genau neben dem Wohnzimmer ist eine kleine schlichte Küche, Anis führt die beiden etwas aufgeregt die Treppe hinauf zu den anderen Zimmern. Sie gehen an seinem Schlafzimmer vorbei, und Anis öffnet eine Tür zu einem weiteren Zimmer. Zusammen treten sie in einen kleinen hellen Raum.

Es stehen ein schönes Himmelbett darin, ein Schreibtisch, ein Kleiderschrank. Auch ein Balkon ist vorhanden. An einer kleinen Pinnwand sind zahlreiche Kinderfotos von Luna angebracht, also ist das Lunas Zimmer. Anis hat sich wirklich viel Mühe gegeben und bekommt als Belohnung eine so stürmische und liebevolle Umarmung seiner jüngsten Tochter, dass er leise anfängt zu lachen. Luna ist gar nicht mehr zu bremsen und zieht Saphira zu dem kleinen Balkon.

Sie sehen auf etwas Grünfläche, die noch zu ihrem Grundstück gehört, und wer hätte es gedacht? ...Wald, Bäume. Saphira hat eigentlich immer die Natur geliebt, aber schon jetzt ist ihr das alles hier zu viel Wald. Sie gehen wieder zurück, und Anis zeigt ihnen, wie sie durch eine Verbindungstür in ein kleines Bad kommen, welches wieder eine Verbindungstür zu Saphiras Zimmer hat.

»Wir teilen uns ein Bad, wie genial«, schwärmt Luna, und langsam steckt sie auch Saphira mit ihrer Vorfreude an. Sie beobachtet, wie ihre Schwester freudig die Toilette inspiziert, und gibt ihrem Vater einen Kuss auf seine weichen Wangen. »Ich bin froh euch wieder hierzuhaben«, er legt den Arm um seine älteste Tochter, und Saphira beschließt, ihre Traurigkeit über das Verlassen von Venezuela tief in ihr Herz zu schließen und sich den neuen Dingen zu öffnen.

Als sie dann ihr Zimmer begutachten, fällt es ihr auch nicht schwer, sich genauso zu freuen wie Luna, es ist ebenso eingerichtet wie das Zimmer ihrer Schwester, nur dass an der Wand gegenüber von ihrem Bett ein großes Bild mit der Aussicht aufs Meer ihrer Heimat, von ihrem Lieblingsfelsen aus gesehen, hängt. »Das habe ich bei meinem letzten Besuch gemacht, ich dachte mir, dass dir dieser Ausblick sicher sehr fehlen wird.«

Saphira weiß nicht, ob sie ihren Vater schon mal so zerdrückt hat wie in diesem Moment. Auch hier zieht Luna sie auf den Balkon, während Anis langsam hinunter ins Erdgeschoss geht, um die Koffer zu holen. Sie blicken auf den dunklen Wald, und es ertönt so etwas wie ein Knurren aus der Richtung des Waldes.

Saphira bekommt eine Gänsehaut und sieht erschrocken zu ihrer Schwester. »Hast du das gehört?«, doch Luna grinst nur: »Wir müssen unbedingt den Wald erforschen.« Saphira dreht ihren Kopf in Richtung des Hauses. »Papa, was für Tiere gibt es hier?« Anis' laute Stimme dröhnt durch das ganze Haus: »Einige Bären, Wölfe ... haltet euch lieber vom Wald fern.« Luna ist schon wieder in ihr Zimmer gelaufen und steht nun auf ihrem Balkon und winkt zu Saphira hinüber, wieder ein leises, aber doch vernehmbares Geräusch aus der Richtung des Waldes.

Erschrocken blickt Saphira zu ihrer Schwester, die nur laut zu lachen beginnt. »Wer hat Angst vorm bösen Wolf?«, veralbert sie ihre ältere Schwester und kehrt in ihr Zimmer zurück. Einen Augenblick holt Saphira noch einmal tief Luft, blickt genau in den Wald, der nun ein Teil ihres neuen Zuhauses ist, und kehrt dann ins Haus zurück.

»Verdammte Scheiße, Vlad!« Sauer knurrt der Anführer den jungen grauen Wolf an, als dieser sich kaum noch beherrschen kann und immer näher zum Haus von Anis will. Plötzlich will er losrennen, doch Calin reagiert schneller, stößt ihn heftig mit seiner Schnauze zur Seite, so dass er gegen einen Baum kracht und sich zurückverwandelt.

Calin tut es ihm gleich, schon im selben Augenblick hat es ihm leidgetan, so aggressiv gegen eines seiner jüngeren Rudelmitglieder vorgegangen zu sein, doch er musste das tun, um sie alle nicht zu verraten. Es war von Anfang an eine beschissene Idee herzukommen. Calin, Davud und Tolja waren schon eine Weile in Wolfsgestalt in den Wäldern rund um die Stadt unterwegs. Die Sache, die gestern bei den Wächtern besprochen worden ist, lässt Calin nicht mehr los, und so haben sie schon angefangen die Wälder abzusuchen, in der Hoffnung, auf irgendetwas zu stoßen, was ihnen weiterhilft, bis Vlad und Luca zu ihnen gestoßen sind.

Radu hatte schon vorher den Auftrag bekommen die andere Seite der Stadt abzusuchen. Sie sind immer wachsam, aber diese Ungewissheit macht Calin rasend. Als Vlad und Luca aufgetaucht sind und sich verwandelt haben, um ihnen etwas mitzuteilen, dachte er erst, sie hätten etwas entdeckt. Zwar können sie auch miteinander kommunizieren, wenn sie alle in Wolfsgestalt sind, doch ist dies mehr über Gefühle, über Gesten. Wenn es was Wirkliches zu besprechen gibt, müssen sie sich jedes Mal zurückverwandeln. Als Luca ihnen dann nur mitgeteilt hat, dass Anis mit seinen beiden Töchtern da ist und diese wie Top-Models aussehen, hat Calin Davud nur verständnisvoll zugenickt, als dieser Luca einen leichten Nackenschlag verpasst hat.

Nachdem sie noch eine Weile den Wald abgesucht hatten, aber nichts Außergewöhnliches hatten entdecken können, bemerkten sie in der Nähe von Anis' Haus dessen Wagen auf der Straße, und die beiden jüngeren Rudelmitglieder machten sich schnurstracks auf den Weg, um sich einen guten Sichtplatz im Wald vor dessen Haus zu suchen. Das Knurren ihres Anführers ignorierten sie einfach, und zum Glück folgten die Älteren den beiden, denn gerade als sie am Haus ankamen, stiegen die drei aus dem Jeep.

Alle ihre Sinne sind in der Wolfsform um ein Vielfaches stärker. Auch Calin nahm sofort einen sehr süßen, anziehenden Geruch wahr, doch konnte er dem nicht nachgehen, weil alle sofort bemerkten, wie Vlads Gefühle anfingen verrückt zu spielen. Jeder wusste, was los war, sie kennen das schon von Tolja und Radu, die beide genauso reagiert haben, als sie ihre Seelenverwandten gefunden haben.

Es ist wie eine magische Anziehungskraft, der Duft von ihr treibt den Wolf in den Wahnsinn, er fühlt sich zu ihr hingezogen, und es ist schwer, ihn davon abzubringen, vor allem in der ersten Zeit. Bei Radu hatte es fast einen Monat gedauert, bis er es im Griff hatte. Erst als Alicia seinem Werben endlich nachgab und beide ein Paar wurden, entspannte sich die Lage etwas. Bei Tolja war das Ganze etwas unkomplizierter, da er das Mädchen schon kannte. Snejana hat mit ihm zusammen die Schule besucht, sie, wie auch Alicia, gehören zum direkten Stamm der Yasus und wissen über das Rudel Bescheid. Nachdem Tolja sich das erste Mal zum Wolf verwandelt hatte, führte ihn sein Herz sofort zu seiner Seelenverwandten.

»Verdammt, Calin!« Vlad rappelt sich in Menschengestalt langsam vom Boden auf und reibt sich über die Schulter. »Ich wollte nur kurz näher heran!« Davud, noch in Wolfsgestalt, knurrt sauer auf, und Calin atmet etwas schwer auf, es durchfährt sie alle jedes Mal ein reißender Schmerz, wenn ihre Körper sich verwandeln. Man gewöhnt sich daran, trotzdem bleibt es ein Schmerz. »Wie hast du dir das vorgestellt, Idiot? Wolltest du ihr die Pfote reichen?« Vlad will sich an seinem Anführer vorbeidrängen, doch der hält ihn auf. »Stopp! Warte, entspann dich, ich habe es gefühlt, ich weiß, was los ist, aber versuch ruhig zu bleiben, sie kennt dich nicht einmal.« Vlad schaut zu dem Haus, und auch alle anderen folgen seinem Blick. Genau in diesem Moment geht eine der Balkontüren im oberen Stockwerk auf, die beiden Mädchen treten heraus, und in dieser Millisekunde fängt Calins Herz an zu rasen.

Neben einem jüngeren blonden Mädchen mit kurzen Haaren steht das schönste Wesen, das er jemals gesehen hat. Eine zierliche junge Frau, mit langen, gelockten blonden Harren sieht zum Wald herab. Obwohl Calin nicht mehr in Wolfsgestalt ist, erkennt er ihre blauen mandelförmigen Augen, sie sieht etwas traurig zum Wald, und eine kleine Falte bildet sich auf ihrer Stirn, doch ehe Calin diese Schönheit weiter ansehen kann, verschwinden die beiden wieder ins Zimmer. »Meine Güte, habt ihr gesehen, was für ein Engel sie ist? Ich muss mit ihr sprechen.«

Calins Aufmerksamkeit wird wieder von Vlad beansprucht: »Welche von beiden ist es, also zu wem ...?« Plötzlich überkommt Calin ein klammes Gefühl, er weiß, wenn einer seine Seelenverwandte gefunden hat, ist dies unwiderruflich, er ist ihr sein Leben lang verfallen. »Na ja, den Engel, hast du sie nicht gesehen? Ihre blauen Augen, dieses süße Lächeln.« Etwas befreiter hakt Calin noch mal nach: »Du meinst die Kleine?« Er entlockt Vlad ein wissendes Grinsen »Ja, Chef! Ganz ruhig, du bist ja auch ganz verzaubert ...«, er will gerade weiterwitzeln, da geht erneut ein Balkon auf, diesmal auf der Nebenseite.

Wieder treten beide Schwestern zusammen auf den Balkon, und diesmal reißt Calin seinen Blick von der Schönheit und mustert Vlads Seelenverwandte, die ebenfalls wunderschön ist. Sie ist jünger und hat schulterlange blonde Haare. Er will gerade wieder seinen Blick zu der älteren der beiden wenden, um sich zu vergewissern, dass er sich das nicht eingebildet hat, als Davud knurrt und ihn warnt, weil sich Vlad wieder zu weit nach vorne wagt.

»Du Idiot!« Calin zieht ihn sauer zurück. Er will Vlad gerade zurechtweisen, da hören sie eine süße Stimme laut rufen: »Papa, was für Tiere gibt es hier?« Sie hören Anis' ahnungslose Antwort, und Luca grunzt als Wolf laut, was eine Art Lachen darstellen soll. Anis hat keine Ahnung, dass fünf dieser Wölfe direkt vor seinem Haus stehen. Sie sehen wieder nach oben, wo mittlerweile die jüngere der beiden auf den anderen Balkon getreten ist, offenbar haben sie Lucas wölfisches Lachen gehört, denn die Ältere sieht ängstlich zum Wald, was Calin sofort die Brust zuschnürt.

»Wer hat Angst vorm bösen Wolf?« Alle Köpfe gehen blitzschnell in die Richtung von Vlads Seelenverwandter, die anscheinend ihre Schwester aufziehen will. Keine Sekunde später verschwindet sie wieder im Haus, während die Ältere noch einmal in ihre Richtung blickt. Einen Moment scheint es fast so, als sähe sie Calin direkt an, und er kann ihre bezaubernde Erscheinung nicht begreifen, dann ist auch sie verschwunden, und Luca prustet so sehr los, dass er sich noch beim Lachen verwandelt und als Mensch liegen bleibt.

»Oh Mann, Vlad, das wird was ...«, lacht er weiter, und auch Calin fährt sich selbst einmal verwirrt durch die Haare.

Was zur Hölle war das gerade?

# Kapitel 3

Bevor sich Calin auf den Weg nach Hause macht, geht er noch einmal in die Wohnung über der Werkstatt, die er gerade renoviert. Die Räume sind groß und hell, er musste und muss noch immer sehr viel Zeit und Arbeit hineinstecken, aber schon jetzt erkennt man, dass es sich lohnen wird. Er schafft sich sein eigenes Reich, zudem helfen die Jungs immer alle gerne dabei. Cesar wird sich erst einmal sein altes Zimmer im Haus ihrer Eltern schnappen, aber Calin ist sich sicher, dass es nicht lange dauern wird, bis er ebenfalls in die Werkstatt zieht.

Immer wieder kehren seine Gedanken zu der Tochter von Anis zurück. Noch nie hat er eine so hübsche Frau gesehen, in seinen Augen ist sie perfekt. Ihre zierliche Figur, die langen Haare, diese großen blauen Augen, er würde am liebsten sofort wieder dahin, um sie sich anzusehen, und das bringt ihn gerade durcheinander. Was ist in diesen zwei Minuten, in denen er sie gesehen hat, geschehen? Ihm ist noch nichts Vergleichbares passiert.

Calin ist nicht unerfahren, als Anführer des Wolfsrudels ist er gleich doppelt so begehrt, wie er es ohnehin schon immer war, hier und in der größeren Nachbarstadt, wo sie alle zur Schule gegangen sind. Er hat auch schon eine längere Beziehung hinter sich mit Amanda, einem der heißesten Mädchen in der Schule. Sie gingen zwei Schuljahre miteinander. Zwar war es irgendwann nicht mehr wirklich Liebe zwischen ihnen, sondern nur noch gute Freundschaft, aber sie hatten immer guten Kontakt. Bis zu der Nacht, die sich für immer tief in Calins Gedächtnis gebrannt hat, die paar Sekunden, die ihn nie wieder loslassen werden.

Sobald die Erinnerungen anfangen ihn aufzufressen, kehrt er zu sich nach Hause zurück, wo seine Mutter und sein Vater gerade am Frühstückstisch sitzen. Calin hat überhaupt nicht auf die Zeit geachtet, und mittlerweile ist es schon wieder früher Morgen. Seine Mutter sieht ihn besorgt an, offensichtlich sieht er so aus, wie er sich fühlt. Als sie ihn an den Esstisch bittet, winkt er ab und will gerade in sein Zimmer verschwinden, als ihn sein Vater noch einmal anspricht.

»Anis war gestern mit seinen Töchtern ...«, doch Calin fällt ihm ins Wort, was er sonst nicht wagen würde, aber er kann jetzt nicht noch einen Satz davon vertragen.

»Ich weiß, ich weiß, ich hau mich hin.« Er geht nach oben in sein Zimmer, doch es wäre zu schön gewesen, hätte er sich wirklich für ein paar Stunden aufs Ohr legen können. Ovid steht keine Minute später in seinem Zimmer.

»Was ist passiert? Geht es um euer Treffen gestern? Habt ihr etwas entdeckt?« Calin schüttelt den Kopf und streift sich das Shirt vom Körper. »Nein, nichts gefunden, obwohl, so kann man das nicht sagen. Vlad hat seine Seelenverwandte entdeckt.« Calin schmeißt das Shirt achtlos in die Ecke, zum Duschen ist er viel zu kaputt, er will nur noch schlafen. Ovid guckt ihn erst verwundert an, dann lacht er. »Wirklich? Der Chaot? Wer ist denn die Glückliche?«

Calin sieht seinen Vater einen Moment lang an, vor ihm war er der Anführer des Rudels, wie auch schon sein Großvater, seine Familie ist schon immer die Führung des Clans. Ovid weiß mehr als jeder andere, was das alles bedeutet, was es für Auswirkungen hat, wenn jemand seine Seelenverwandte gefunden hat. »Es ist Anis' jüngste Tochter«, gibt er schließlich etwas leiser zu und sieht sofort in Ovids Gesicht die Reaktion. »Verdammt, musste das sein? Die Kleine weiß doch über gar nichts Bescheid, nicht mal Anis weiß etwas. Ich will seine Familie da nicht hineinziehen.«

Calin lacht einmal hart auf. »Tja, wir konnten das leider nicht verhindern.« Er merkt selbst, wie genervt er sich anhört. »Was war noch? Irgendetwas stimmt nicht mit dir ... « Calin legt sich aufs Bett und seufzt schwer. »Nichts weiter, es war einfach eine harte Nacht, ich bin müde.« Ovid sieht zwar noch einmal besorgt zu seinem Sohn, doch dann schließt er die Tür hinter sich. Das Letzte, was Calin vor dem Einschlafen vor sich sieht, ist das Gesicht der schönen jungen Frau, die er heute zum ersten Mal gesehen hat.

Als er seine Augen wieder öffnet und diesen wirren Traum von sich schüttelt, der ihn mehr gequält als erholt hat, ist es schon später Nachmittag. Er rappelt sich langsam auf, und nachdem er etwas gegessen hat, macht er sich gleich auf den Weg in die Werkstatt. Es verwundert ihn nicht sonderlich, Cesar, Vlad und Tolja dort anzutreffen. Ob geschlossen ist oder nicht, die Werkstatt ist immer vom Rudel besucht. Sie sitzen in einem alten Bus, und das Lachen von ihnen schallt durch die gesamte Halle.

»Na, sieht nicht so aus, als hättest du eine erholsame Nacht gehabt«, witzelt sein Bruder gleich los, doch Calin beachtet die Kommentare von Cesar gar nicht weiter. Er weiß, dass sein jüngerer Bruder schwer damit zu kämpfen hat, nicht zum Rudel zu gehören. Es ist immer nur der älteste Sohn einer Familie, der zu dem Rudel dazustoßen darf, und das auch nur von den ältesten dazugehörenden, vom Clan abstammenden Familien. Cesar gibt es zwar nicht offen zu, sondern tut gleichgültig, aber Calin kennt seinen zwei Jahre jüngeren Bruder zu genau. Er weiß, dass es ihm schwer fällt zurückzubleiben, wenn sie als Rudel losziehen, obwohl er sonst immer in alles mit einbezogen wird. Doch wenn sie nachts ihre Gestalten ändern, müssen sie ihn zurücklassen, und das quält ihn, auch wenn er es nicht zeigen will.

Calins Blick fällt zu Vlad, der Cola aus einer Dose trinkt. Auch er scheint kaum geschlafen zu haben. Er setzt sich daneben und klopft ihm freundschaftlich auf die Schulter. »Keine Sorge«, Luca unterdrückt ein Aufstoßen, »ich halte ihn schon in Schach bis morgen, da holen wir sie ja zur Schule ab, von da an werde ich nicht mehr ganz so viel Einfluss haben.« Luca kann sich ein freches Grinsen nicht verkneifen, und Calin lehnt sich erschöpft in die alten Sitze des Busses zurück. »Sei einfach du selbst, ich weiß ... also nicht persönlich, aber du weißt schon, es wird schwer, aber überfahre sie nicht gleich. Sie hat keinen Schimmer, sie kommt aus einem ganz anderen Land, lass ihr Zeit, sich erst einmal an alles zu gewöhnen, bevor sie sich noch der Tatsache stellen muss, dass es hier ein paar Freaks gibt, die ab und zu Wölfe werden, und einer von ihnen nicht mehr ohne sie leben kann. Ganz abgesehen davon, dass ein paar Kilometer weiter ein Haus voller Vampire ist.«

Calin meinte das eigentlich sehr ernst, doch an dem Schmunzeln der anderen merkt er, dass sie es nicht so verstanden haben. Er ist viel zu müde, und in seinen Gedanken herrscht ein zu großes Chaos, um noch mal auf den Ernst der Lage hinzuweisen. Er überblickt einmal die vollgestellte Werkstatt, eigentlich ist viel zu tun, aber im Moment hat er keinen Kopf dafür. »Was haltet ihr von einer Runde Fußball? Ich glaube, das wird das Beste heute sein.«

»Auf jeden Fall, sind dabei, das hört sich doch genau richtig an, lass uns die anderen zusammentrommeln.« Luca und Cesar springen sofort auf, und nach einem mahnenden Blick von Luca erhebt sich auch Vlad. Calin muss grinsen. Vlad, der sonst immer so eine große Klappe hat, scheint plötzlich wie lahmgelegt. Dabei braucht er sich eigentlich keine Sorgen zu machen, Calin hat schon mehr als einmal mitbekommen, dass die Mädchen verrückt nach ihm sind. Mit seinen kurzen stacheligen dunklen Haaren, der dunklen Haut und den herausstechenden grünen Augen kann ihm kaum ein Mädchen widerstehen. Zwar hat er noch nicht die Muskelmasse wie die aufgebaut, die schon länger beim Rudel sind, trotzdem sticht er unter den anderen in seinem Alter hervor. Dazu dieses freche Grinsen, welches zwar gerade kaum vorhanden ist, aber sicher wiederkommen wird.

Calin lacht und legt den Arm um einen seiner jüngeren Schützlinge. »Mach dir nicht so viele Gedanken, sie wird dir schon nicht widerstehen können. Wie sollte sie auch? Wir sind schließlich Yasus ... da kann keine Frau nein sagen.«

Sie verlassen gerade die Garage, als Calin den letzten Satz ausspricht und er beinahe in Anis und seine ältere Tochter hineingelaufen wäre, die wohl gerade in die Garage kommen wollten. Calins Herz schlägt gleich doppelt so schnell, als er nun genau vor der Schönheit steht, die seit gestern seine Gedanken beherrscht. So nah sieht sie noch tausendmal schöner aus als gestern Nacht. Auch wenn sie anscheinend über seine gerade getätigte Aussage die Augenbrauen nach oben zieht.

Schon seitdem sie aufgewacht sind, haben Luna und Saphira ihre Sachen ausgepackt und sich ihre Zimmer individuell hergerichtet. Saphira hatte einen tiefen Schlaf, was ihr gutgetan hat und wohl an dem langen Flug gelegen hat. Nun fühlt sie sich schon viel besser, sie essen zusammen mit Anis zu Mittag. Ihr Vater strahlt noch immer wie ein Honigkuchenpferd, auch wenn es für ihn sicher eine Umstellung ist, plötzlich zwei Frauen im Haus zu haben, die sich laut durchs Haus zurufen. Während des Mittagessens erklärte Anis, dass er mit Saphira noch zu einer Werkstatt in die Stadt fahren will. Saphira hat den Führerschein, und hier ist ein Auto unumgänglich.

Zwar hat sie in Venezuela die Schule bereits abgeschlossen und muss sich hier erst einmal eine Arbeit suchen, doch trotzdem braucht sie schnell ein Auto, um sich hier überhaupt bewegen zu können. Anis ist fast den ganzen Tag mit dem Jeep unterwegs, so dass sie den nicht nutzen kann. Zudem kann sie dann auch Luna zur Schule bringen, wer weiß, wie zuverlässig das Angebot von diesem Luca ist.

Obwohl das nächste Autohaus in der Nachbarstadt ist, hat Ovid aber zu Anis gesagt, dass es bei seinen Söhnen ein paar gute Autos gibt, die zum Verkauf stehen. Auch wenn heute Sonntag und somit alles geschlossen ist, Anis ist sich sicher, dass sie jemanden antreffen werden. Erst wollen sie noch bei Ovid vorbeifahren, deswegen stellt sich Saphira nach dem Essen etwas überfordert vor den gerade eingeräumten Kleiderschrank. Draußen ist es so kalt, wie sie es noch nie erlebt hat, und der Winter hat hier noch nicht einmal richtig begonnen. Sie hat nicht viele Möglichkeiten, also zieht sie eine hellblaue Jeans, ein längeres weißes Top und eine helle Strickjacke an, dazu helle Stiefel. Als sie zu Anis in den Jeep steigt und Luna, die im Haus noch weitermachen will, zuwinkt, guckt ihr Vater mit seinen dicken warmen Boots mitleidig an seiner Tochter herunter.

»Ihr müsst euch schnell neue Anziehsachen kaufen.« Saphira nickt nur und kuschelt sich in die Strickjacke, während sie wieder zu dem Haus von Ovid fahren.

Dieses Mal treffen sie nur Adina an. Sie drückt Saphira wieder fest an sich, Saphira mag die liebevolle Frau jetzt schon sehr. Ovid sei wohl bei einem Nachbarn zum Kartenspielen, aber ihre Söhne müssten beide in der Werkstatt sein, und somit fahren sie wieder los. Die besagte Werkstatt ist genau gegenüber dem Buchladen, den Saphira sofort nach ihrer Ankunft entdeckt hat, am liebsten würde sie gleich hinübergehen, auch wenn er geschlossen ist, um sich im Schaufenster ein Bild zu machen, wie umfassend ihr Sortiment ist. Doch sie folgt ihrem Vater zu dem größeren zweistöckigen Gebäude, welches schon von außen unschwer als Werkstatt zu erkennen ist. Es stehen mehrere Autos davor, die eher aussehen, als gehörten sie auf den Schrottplatz. Als sie gerade eintreten wollen, öffnet sich die Tür und vier Männer kommen heraus, ohne sie beide zu bemerken. Alle sehen zu einem Mann in der Mitte, der gerade einen Satz beendet.

»Wie sollte sie auch? Wir sind schließlich Yasus ... da kann keine Frau nein sagen.« Saphira zieht die Augenbrauen hoch, der Kerl scheint ja sehr von sich überzeugt zu sein. Als die Männer schließlich doch noch Anis und sie erblicken, sehen sie verwundert zu ihnen, doch Anis begrüßt sie freundschaftlich. Saphira mustert die Männer genau, während Anis jedem die Hand gibt. Einer von ihnen ist dieser Luca, den sie schon gestern getroffen haben, neben ihm steht noch ein etwas jüngerer Mann, der irgendwie leicht nervös wirkt, er hat im Kontrast zu seinem sonst so dunklen Aussehen sehr herausstechende grüne Augen und ein niedliches Gesicht.

Neben ihm stehen zwei weitere Männer, beide Anfang 20. Einer hat schulterlange Haare und lächelt sie freundlich an, im Gegensatz zu den jüngeren sind die beiden etwas älteren Männer wirklich breit gebaut, sie scheinen regelmäßig zu trainieren. Dazu sieht man in ihren Gesichtern, dass sie Brüder sind, was Saphira zu dem Schluss kommen lässt, dass es sich hier um die Söhne von Adina und Ovid handelt. Als ihr Blick dann zu dem Mann schweift, der gerade noch so einen selbstsicheren Spruch von sich gegeben hat, ist sie sich dessen ganz sicher. Genau wie sein Vater wirkt auch er sehr mächtig, Saphira kann gar nicht genau sagen, woran sie das festmacht, es ist einfach die ganze Erscheinung, die das ausdrückt.

Er scheint der Ältere zu sein, Saphira muss zugeben, auch wenn alle Männer gut aussehen, sticht er aus allen hervor. Er hat schön geschwungene Lippen, kurze Haare, und seine Augen scheinen sie an sich binden zu wollen, als sie in diese blickt. Sie sind dunkelbraun und unablässig forschend auf sie gerichtet, was sie leicht nervös werden lässt. Sie entdeckt eine feine Narbe, die sich einmal von seiner rechten Wange über sein Auge bis über die rechte Augenbraue zieht. Sie ist zwar hell und dünn, doch man erkennt sie.

»Calin, Vlad, Cesar, das ist meine Tochter Saphira, Luca, ihr habt euch ja schon gestern kennengelernt.« Jeder der Männer reicht ihr höflich die Hand, vor allem die von Calin, dem offensichtlichen Anführer dieser Truppe, scheint riesig im Gegensatz zu ihrer. Sein Blick fühlt sich merkwürdig auf ihr an, als wolle er sie erforschen. »Eure Mutter hat uns gesagt, dass wir euch hier finden werden. Wolltet ihr gerade gehen? Dann kommen wir morgen wieder.« Endlich nimmt dieser Calin seinen Blick von Saphira und wendet sich ihrem Vater zu. »Nein, nein, kein Problem.« Er grinst und zwei Grübchen zeigen sich auf seinen Wangen, was sein Lächeln fast schon unwiderstehlich werden lässt. Saphira ärgert sich über sich selbst, dass sie diesem sowieso schon von sich eingenommenen Typen auch noch eine Bestätigung gibt, wenn auch nur in ihren Gedanken.

»Was braucht ihr? Womit kann ich euch helfen?« Anis will gerade ansetzen Calin in die Werkstatt zu folgen, als der junge Mann mit den grünen Augen, der ihr vorhin als Vlad vorgestellt wurde, sie noch mal zurückhält. »Anis, wo ist deine andere Tochter?« Anis sieht den jungen Mann etwas verwundert an. »Luna? Die ist zu Hause geblieben, warum?« Doch bevor Vlad antworten kann, mischt sich Luca ein. »Ich habe Vlad erzählt, dass Luna auf unsere Schule kommt.« Anis nickt leicht, doch dieser Vlad scheint es auf einmal sehr eilig zu haben, er verabschiedet sich, und Luca sieht ihn besorgt hinterher. »Okay, wir haben noch etwas zu erledigen. Schönen Tag noch, wir holen dann morgen Luna ab.« Bevor er den Satz richtig zu Ende sprechen konnte, sind er und dieser Vlad verschwunden.

Kurz blickt ihnen Saphira noch hinterher, doch dann folgt sie den anderen Männern in die Werkstatt. Genau wie draußen stehen auch hier einige Autos, doch sehen die schon etwas fahrbarer aus. Anis erklärt Calin, worum es geht, dass sie dringend ein Auto für Saphira brauchen. Saphira weiß, dass ihr Vater in all den Jahren immer Geld zur Seite gelegt hat, und auch sie haben noch etwas Erspartes aus Venezuela mitgebracht. Immer wieder spürt sie Calins Blick auf sich. Sie blickt sich in der Werkstatt um, damit sie ihn nicht ansehen muss. Sie würde gerne noch einmal einen genaueren Blick auf diesen Calin werfen, doch sein Ego noch mehr zu stärken kommt gar nicht in Frage. Deshalb ist sie seinem jüngeren Bruder auch sehr dankbar, als der ihr etwas Kaltes zum Trinken gibt und sie etwas zu tun hat, während sie den Fachsimpeleien der Männer lauscht.

Dann driften die Männer ab, und das Thema handelt von Motorrädern. Während Cesar mit Anis in die hintere Ecke der Werkstatt geht, um ihm ein paar davon zu zeigen, spricht Calin das erste Mal direkt mit ihr. »Komm mal mit, ich zeig dir schon mal die Autos, von denen wir gesprochen haben.« Saphira wirft noch einen Blick zurück zu ihrem Vater, der sich gerade begeistert eines der Motorräder ansieht, dann folgt sie Calin, der ihr eine Tür zu einem Hof aufhält. Auf diesem Innenhof stehen wieder Autos herum, diese sehen allerdings alle fahrtüchtig aus.

Saphira sieht sich die drei dort stehenden Exemplare genau an. Es gibt einen etwas kleineren Jeep als das Modell ihres Vaters, daneben stehen ein Kombi und ein kleiner roter Golf. Saphiras Lieblingsfarbe ist Rot und auch sonst sagt ihr der kleine Wagen zu, deshalb steuert sie diesen direkt an. Calin lacht, »nicht der, wir hatten an diesen Wagen gedacht.« Er zeigt auf den Jeep, »mit ihm kommst du hier besser zurecht, der ist wie gemacht für die Gegend. Mit dem dort wirst du nur deine Probleme haben.« Er zeigt lieblos auf das kleine rote Auto, und Saphira schließt es augenblicklich noch mehr in ihr Herz. »Steht dieser Wagen denn auch zum Verkauf?«

Das erste Mal sieht sie Calin aus dieser Nähe direkt in die Augen. Er hat wirklich schöne Augen, und wenn er lächelt, blitzen sie leicht auf. »Doch, klar, die drei stehen zum Verkauf, wir haben sie als Schrotthaufen bekommen und wieder hergerichtet, aber der Jeep … « Saphira muss auch lächeln, »dann will ich den haben.« Sie zeigt auf den Kleinwagen. Calin scheint einen Augenblick zu überlegen, wie er sie jetzt davon abbringen könnte, in diesem Moment kommen auch Anis und Cesar zu ihnen.

Auch Anis ist nicht begeistert von Saphiras Wahl, doch sie lässt sich auch von ihm nicht mehr umstimmen, schon gar nicht, nachdem sie in dem kleinen Prachtkerl gesessen hat. Calin beobachtet das Ganze nur ziemlich amüsiert, und als Anis und Saphira irgendwann beim

Diskutieren ins Spanische verfallen, lehnen er und Cesar sich sogar an ein Auto, um es sich dabei gemütlich zu machen.

Als Saphira ihren Vater schließlich mühsam überzeugt hat, das kleine, günstigere Auto zu nehmen, und die Männer anfangen über den Preis und andere Sachen zu reden, entschuldigt sich Saphira und geht hinüber zum Schaufenster des Buchladens. Sie entdeckt, dass der Laden sich nach hinten wohl noch sehr weit erstreckt und ein sehr umfangreiches Sortiment hat. Sie geht die Bücher im Schaufenster durch und beschließt, gleich nächste Woche herzukommen und sich genau umzusehen, da entdeckt sie ein Schild an der Eingangstür, dass für den Laden eine Verkäuferin gesucht wird.

Sofort schlägt Saphiras Herz schneller. Sie hat zwar noch nie in einem Buchladen gearbeitet, sie hatte in Venezuela ja gerade mal die Schule beendet, aber sie hat sicher genug Kenntnisse, um das zu schaffen. Es würde ihr riesigen Spaß machen, in einem Buchladen zu arbeiten . Sie beschließt, gleich morgen früh herzukommen, so wie sie es verstanden hat, können sie das Auto gleich mitnehmen, also dürfte das kein Problem sein. Als sie sich wieder umdreht, fährt Calin auch gerade den roten kleinen Schatz vor die Werkstatt, er wirkt wie ein Riese in diesem Auto, immerhin ist er sicherlich einen Kopf größer als Saphira, ganz zu schweigen von seinem breiten Körper.

Als Saphira zu ihm hinübergeht, grinst er über beide Wangen und seine Grübchen sind wieder zu sehen, vielleicht ist er doch ein ganz netter Kerl, trotz seines komischen Spruches am Anfang. Er hält ihr die Autoschlüssel hin. »Bitte schön, ich habe zwar nicht verstanden, was du alles gesagt hast, aber offenbar hat es gewirkt.« Saphira nimmt ihm den Schlüssel glücklich ab und setzt sich sofort in ihr neues Auto. »Warte, du kennst den Weg doch noch gar nicht richtig.« Anis lacht und gibt den beiden Männern schnell die Hand, bevor er in seinen Jeep steigt. Saphira startet ihr Baby. Bevor sie losfährt, lächelt sie die beiden Brüder noch einmal an und winkt zum Abschied.

Calin sieht den beiden Wagen sogar noch hinterher, als sie gar nicht mehr zu sehen sind. »Mann, die hat es dir ja angetan«, reißt ihn Cesar aus seinen Gedanken, und Calin kann sich ein zustimmendes Grinsen nicht verkneifen. Sie ist einmalig, nicht nur wunderschön, wie sie erst mit ihnen und dann mit ihrem Vater diskutiert hat, ihr Lächeln, ihre funkelnden Augen, er könnte sie einfach stundenlang ansehen und würde nicht müde werden. »Sie ist schön, wirklich sehr hübsch.« Cesar zieht anerkennend die Augenbrauen hoch, »... ist sie, du weißt schon, euer Seelenverwandten-Ding?« Calin lacht und geht mit seinem Bruder in die Werkstatt zurück.

»Keine Ahnung, ich war ... konnte es noch nicht merken. Als ich sie verwandelt gesehen habe, musste ich mich wegen Vlad sofort zurückverwandeln.« Calin sieht zum Himmel, wo es langsam zu dämmern anfängt. So wie er auf Saphira reagiert, jetzt schon als Mensch, ist er sich absolut sicher, dass sie die Seine ist. Schon jetzt zieht ihn alles zu ihr, und sobald er sich diese Nacht verwandelt, wird er sich die letzte Bestätigung holen.

# Kapitel 4

Sobald es am nächsten Tag dunkel ist, verwandelt sich Calin. Statt dass er sich mit den anderen trifft, führt ihn sein Herz direkt zu dem Haus von Anis. Schon als er in die Nähe kommt, nimmt er sofort wieder einen süßen Duft wahr, so wie auch schon gestern Abend. Bevor er dem Verlangen, herauszufinden, zu wem dieser Duft gehört, allerdings gestern nachgehen konnte, musste er sich wegen Vlad wieder zurückverwandeln. Als er jetzt diesen Geruch wieder aufnimmt, weiß er instinktiv, dass er zu Saphira gehört.

Es zieht ihn an, doch ist das nicht so, wie es bei Vlad, Radu oder Tolja jedes Mal ist, wenn sie in die Nähe ihrer Seelenverwandten kommen. Es ist nicht diese gewaltige Anziehungskraft, die er bei ihnen gespürt hat. Calin nähert sich dem Haus und sieht Saphira auf der Veranda sitzen und lesen. Er kann ihren süßen, rosigen Duft genau riechen, er würde ihn jetzt schon unter Tausenden wiedererkennen, doch es ist nicht dieses Gefühl, das er haben würde, wenn sie die Seine, seine Seelenverwandte wäre.

Es trifft Calin, er kennt diese Frau gar nicht, kaum, doch es trifft ihn, dass sie es nicht ist. Er hat sich von Anfang an zu ihr hingezogen gefühlt, er war sich so sicher, dass sie die Seine ist. Warum dann diese Gefühle? Auch jetzt kann er nicht den Blick von ihr wenden, vor allem in Wolfsgestalt fühlt es sich an, als würde er einen inneren Kampf austragen. Er bleibt noch lange dort sitzen, tief enttäuscht und dennoch nicht in der Lage aufzuhören, Saphira anzusehen.

Er studiert ganz genau ihre Mimik beim Lesen. Wenn anscheinend etwas Lustiges in ihrer Geschichte passiert, bildet sich ein leichtes Lächeln auf ihren Lippen, manchmal bekommt sie eine kleine Denkfalte auf ihrer Stirn, hin und wieder spielt sie verträumt mit einer Locke aus ihren Haaren. Als sie nach einer Weile ins Haus zurückkehrt, bleibt Calin trotzdem noch vor dem Haus sitzen, er spürt seine Enttäuschung immer weiter wachsen. Niedergeschlagen kehrt er schließlich zurück und trifft auf den Rest des Rudels, er ist sich sicher, dass sie seine Gefühle spüren. Auch er spürt die Unruhe von Vlad, die Langeweile von Luca, das Rastlose von Davud und die vollkommene Zufriedenheit von Radu und Tolja. Er kann sich nicht mal erklären, woher der plötzliche Wunsch kommt, seine Seelenverwandte zu finden, bisher war er immer zufrieden, so wie es war.

Hin und wieder eine Freundin, etwas Spaß haben; seit er sich das erste Mal verwandelt hat, ist er nichts Festes mehr eingegangen, mit keiner von ihnen. Das wäre nicht richtig, jeder weiß ja, dass es irgendwo da draußen die Richtige für sie gibt und man lieber die Finger von allem anderen lässt, sobald Gefühle ins Spiel kommen. Noch mehr Frust baut sich in ihm auf, nicht mal das kann er, egal wie sehr ihm Saphira gefällt, er muss sie vergessen. Schon jetzt beherrscht sie seine Gedanken, und da sie nicht seine Seelenverwandte ist, würde das nur zu einer Katastrophe führen. Er sollte ihr, so gut es geht, aus dem Weg gehen und sie sich aus dem Kopf schlagen.

Schon am Frühstückstisch spürt man die Anspannung von Luna und Saphira genau, einzig Anis sitzt entspannt da und beobachtet seine aufgeregten Töchter. Luna hat sich dreimal umgezogen, wobei Saphira wieder aufgefallen ist, dass sie unbedingt Klamotten kaufen müssen, und sie beschlossen hat, ihre Schwester nach der Schule dazu abzuholen. Anis erklärt Saphira genau den Weg, wie sie zum Einkaufszentrum kommen, dort müssen sie sich auch gleich ein Handy besorgen. Sie selbst kann es kaum abwarten, zur Buchhandlung zu fahren, sie würde alles dafür tun, damit sie dort anfangen könnte. Es wäre eine Arbeit, die ihr am Herzen liegen würde.

Anis bricht als Erster auf, nachdem er seinen Töchtern noch einmal alles ganz genau erklärt hat. Luna geht nach oben, um ihre Sachen zusammenzusuchen, da klopft es an der Tür. Als Saphira die Tür öffnet, stehen ein lächelnder Luca und ein immer noch nervös wirkender Vlad vor ihr. Anscheinend ist das immer so bei ihm, auch wenn sein sonstiges Auftreten nicht unbedingt auf einen schüchternen Jungen schließen lässt, so scheint der erste Eindruck zu täuschen. Saphira begrüßt die beiden und bittet sie herein, bis Luna fertig ist. Saphira erkundigt sich gleich, wie lange der Unterricht dauert, da sie Luna zum Einkaufen abholen will.

Gerade als auch Luca noch einmal anfangen will, ihr den Weg zu beschreiben, den sie von Anis sicher 10-mal eingetrichtert bekommen hat, kommt Luna die Treppe herunter. »Sorry, dass ich so spät bin … «, sie stockt kurz, blickt Vlad an und beginnt augenblicklich zu lächeln, eine zarte Röte bildet sich auf ihren Wangen. Saphira würde am liebsten die Augen verdrehen, sie kennt diesen Blick von Luna.

»Kein Problem, aber wir müssen jetzt los«, unterbricht Luca die entstandene Stille, und Luna tritt zu den Jungs. »Vlad, Luna«, stellt Luca knapp vor, und ein Blick auf die Uhr verrät, dass sie wirklich ziemlich spät dran sind. Sie gehen schnell zu einem Jeep, der wohl Vlad gehört. Er ist so ähnlich wie der, den sie gestern Saphira andrehen wollten, und nachdem sie ihnen noch kurz hinterhergewunken hat, schenkt Saphira ihrem kleinen roten Baby einen Luftkuss und kehrt fröhlich ins Haus zurück. Wenn das mit dem Job im Buchladen klappt, dieses neue Auto, hier bei ihrem Vater zu sein, vielleicht wird das Ganze doch nicht so schlecht. Die Leute in Barnar wirken alle ziemlich nett. Unwillkürlich muss sie an Calin denken, sein Lächeln und seine dunklen Augen, ja vielleicht wird es doch gar nicht so schlecht hier zu leben. Sie beschließt, nach dem Buchladen noch einmal in der Werkstatt vorbeizuschauen und ihm einen Besuch abzustatten.

Als Saphira eine Stunde später vor der Bücherei hält, ist sie ziemlich aufgeregt. Sobald sie allerdings das Geschäft betritt, die kleine Türglocke klingelt und sie den geliebten Geruch von Büchern wahrnimmt, verfliegt die Nervosität schnell. Eine für diese Gegend ungewöhnlich helle ältere Frau mit grauen Haaren und grünen Augen kommt auf sie zu. »Kann ich Ihnen helfen?« Saphira lächelt die ältere Frau an und erklärt ihr, dass sie sehr interessiert an diesem Job ist. Die Frau stellt sich als Marion, die aus Deutschland stammende Besitzerin dieses Geschäftes, vor. Nachdem auch Saphira sich vorgestellt hat, erzählt Marion, dass sie auf einer Klassenreise damals ihren Mann kennengelernt hat und hierher zu ihm gezogen ist. Ihre Liebe zu Büchern hat sie zu diesem Laden gebracht, doch langsam schafft sie das alles nicht mehr allein und braucht Hilfe.

Saphira und Marion sind sich sofort sympathisch, sie unterhalten sich lange über verschiedene Bücher, gehen die Regale ab, und Saphira merkt, wie groß doch das Sortiment hier ist. Sie bemerken gar nicht, wie die Zeit vergeht, und am Ende hat Saphira den Job und arbeitet von nun an ein paar Mal die Woche in dem Buchladen. Sie wollen sich abwechseln mit dem Dienst, damit Marion endlich etwas mehr Freizeit hat. Saphira erhält auch gleich eine kleine Einweisung und verlässt ein paar Stunden später überglücklich den Laden.

Gerade als sie in ihr Auto steigen will, fällt ihr Blick zu der genau gegenüber liegenden Garage. Sie sieht auf die Uhr, es ist noch etwas Zeit, also überquert sie die Straße und betritt die Werkstatt. Aus den Boxen einer Anlage dröhnt laut, »Down on me« von 50 Cent. Saphira und Luna haben dazu immer wie verrückt getanzt. Sie sieht sich in der Werkstatt um, gerade kommt Cesar vom Hof und lächelt, als er sie erblickt. »Hey, Saphira, was tust du denn hier? Alles klar?« Saphira lächelt zurück. Ja, was tut sie eigentlich hier? So richtig hat sie sich das nicht überlegt. Doch bevor sie antworten kann, kommt plötzlich unter einem Auto Calin hervorgerollt und sieht sie erst verwundert an, dann ändert sich sein Blick in verärgert, was Saphira noch unsicherer werden lässt.

»Hey«, er steht von dem fahrbaren Brett auf und wischt sich an einem Handtuch seine Hände ab. Saphira wendet leicht verlegen ihren Blick ab. Calin trägt nur ein einfaches weißes Shirt, doch dieses zeichnet seine Muskeln sehr genau ab. Sie hat schon bemerkt, dass jeder dieser Männer gut gebaut ist, doch Calins durchtrainierte Brust, seine voluminösen Arme, übertreffen das alles noch.

»Hey, ich war gerade in der Nähe«, sie zeigt hinter sich zum Ausgang, »ich arbeite jetzt drüben im Buchladen.« Sie blickt von Cesar zu Calin, und während Cesar sie freundlich ansieht, scheint Calins Miene mit jedem gesprochenen Wort finsterer zu werden, was Saphira stutzig macht. Gestern war er noch so aufmerksam, er konnte ja kaum seine Augen von ihr wenden. Sie sucht krampfhaft nach einer Ausrede, um aus dieser nun entstandenen unangenehmen Situation zu kommen. Was sie sich dabei denkt, einfach hier reinzukommen.

»Ähm, ich wollte nur einmal Bescheid sagen oder fragen ... also, das Auto, wenn es fährt, dann klackert es manchmal so merkwürdig.« Saphira hätte sich ohrfeigen können für diesen bescheidenen Einfall.

»Es klackert?« Auch Cesar scheint das eher amüsant zu finden, als es ernst zu nehmen, und Saphira würde am liebsten im Boden versinken. »Ja, also, es macht so ein Geräusch, ich wollte nur mal fragen, ob das normal ist.« Sie wendet verlegen den Blick ab, denn nun ist Calins Blick wieder genau wie gestern stur auf sie gerichtet, aber diesmal alles andere als freundlich.

Cesar zuckt die Schultern. »Mal sehen, vielleicht ist ein Teil am Motor locker, eigentlich war das Auto gerade erst überprüft, aber wir können gerne noch einmal gucken. Ich allerdings muss jetzt los, ein Kunde wartet, aber Calin guckt sich das gerne an.« Cesar lacht leise und schaut zu seinem Bruder, der noch immer finster zu Saphira sieht. »Es hat mich gefreut dich wiederzusehen, Saphira. Wenn du jetzt drüben arbeitest, sehen wir uns ja in Zukunft öfter, bis dann, grüß Anis.« Saphira nickt und murmelt ein leises »Bis dann«.

Als Cesar verschwunden ist, wendet sie sich an Calin, der leise aufseufzt. »Tut mir leid, wenn ich ungelegen komme, ich kann auch ...«, doch er unterbricht sie. »Wo steht das Auto?« Langsam versteht Saphira die Welt nicht mehr. Gestern war er doch noch so gut drauf, was ist seitdem passiert, dass er auf einmal so genervt von ihr ist? »Draußen, aber wie gesagt, ich kann auch einfach ein anderes Mal vorbeikommen.« Calin schüttelt den Kopf, sein Gesichtsausdruck wird wieder etwas freundlicher, als er Saphira in die Augen blickt. »Nein, schon gut, ich sehe ihn mir mal an.« Sie verlassen gemeinsam die Garage. »Freut mich, dass du so schnell eine Arbeit gefunden hast. Marion ist sehr nett, es wird dir Spaß machen dort zu arbeiten.« Saphira sieht ihn von der Seite an, sie nimmt den Geruch eines gut riechenden Aftershaves wahr. »Ja, das ist genau das Richtige, ich liebe Bücher über alles, ich tauche dann immer in eine andere Welt ein.« Es bildet sich ein Lächeln auf Calins Gesicht. »Ich weiß.« Saphira bleibt stehen und sieht ihn verwundert an. »Wie, du weißt? Woher solltest du das wissen?«

Auch Calin bleibt stehen und scheint einen Augenblick zu überlegen. »Na, ich hab es mir gedacht, ich meine, mögt ihr Frauen so etwas nicht alle?« Saphira zieht die Augenbrauen zusammen, schon wieder so ein Spruch. »Nein, ich denke zufälligerweise nicht, dass alle Frauen gleich sind, aber interessant zu erfahren, dass du so denkst.« Calin hebt entschuldigend die Arme: »Das habe ich nicht, also, na ja ... egal.« Er weiß offenbar nicht so recht, was er sagen soll, und sieht sie nur mit einem undefinierbaren Blick an, doch dann geht er weiter.

Sie überqueren die Straße, und Calin setzt sich ins Auto, er lässt eine Weile den Motor laufen, öffnet die Motorhaube und sieht immer wieder zu Saphira. Sie würde in diesem Moment am liebsten im Erdboden versinken. »Also, vorhin da hat es noch so ... getuckert«, gibt sie kleinlaut von sich, und Calin grinst frech. »Na ja, jetzt zumindest läuft er einwandfrei.« Er schließt die Motorhaube und wendet sich wieder Saphira zu. »Also, jetzt läuft er gut, wenn noch etwas ist ... du weißt ja, wo du uns findest. Hast es ja jetzt nicht mehr weit.« Calin nickt leicht zum Buchladen, und Saphira lächelt. »Ja, entschuldige noch einmal wegen der Störung.« Calin winkt ab, doch in seinem Blick ist wieder diese Gleichgültigkeit. »Kein Problem, wie gesagt, wenn das Auto spinnt, komm einfach vorbei. Mach's gut.«

Den ganzen Weg zur Schule ärgert sich Saphira über ihr Verhalten, ihr ist es immer noch peinlich. Das Auto tuckert so? Saphira haut sich selbst leicht gegen die Stirn und fährt auf den Parkplatz. Warum machen eigentlich alle so ein Theater wegen der Wege, bis jetzt ist sie sehr gut zurechtgekommen. Die Schule zu finden war auch kein Problem, einfach die geraden Landstraßen entlangfahren bis zur richtigen Ausschilderung. Saphira kommt gerade zum Klingeln an.

Sie steigt aus und sieht den herauskommenden Schülern entgegen, bis sie Luna und Vlad entdeckt. Saphira zieht die Augenbrauen zusammen, die beiden gehen sehr eng aneinander, wirken schon richtig vertraut. Vlad lacht, und Luna himmelt ihn an. Als Luna Saphira entdeckt, kommt sie strahlend auf sie zu. Auch Vlad kommt mit, und hinter ihnen taucht Luca auf. Luna begrüßt Saphira überschwänglich mit einem Küsschen, die beiden Jungs begrüßen sie ebenfalls höflich. Vlad erklärt schnell, dass er Luna morgen früh wieder abholt und zur Schule mitnimmt. Saphira kommt aus dem Staunen nicht mehr heraus, was ist in diesen paar Schulstunden passiert?

Als sich die beiden Jungs verabschieden und in Richtung von Vlads Jeep gehen, schaut ihnen Luna noch verträumt nach, bis Saphira sie ins Auto dirigiert. Sie müssen nur zehn Minuten fahren, da das Einkaufszentrum in derselben Stadt liegt wie Lunas Schule. Schon während der Fahrt kommt Luna nicht aus dem Schwärmen heraus, das zieht sich über den ganzen Einkauf hin. Die Auswahl ist hier ziemlich groß, so dass sie sich mit einigen neuen Klamotten, vor allem neuen festen Schuhen und Jacken, einkleiden und sich Accessoires wie Schals und Handschuhe besorgen. Auch zwei Handys finden sie schnell.

Als sie sich danach noch in ein Restaurant setzen, erzählt Luna immer noch von ihrem ersten Schultag. Sie hat schon einige neue Leute kennengelernt, aber das Hauptthema ist Vlad. Luna ist schwer beeindruckt von dem 17-Jährigen. Er ist ihr heute nicht von der Seite gewichen. Sie hat keine Kurse mit ihm zusammen, da er eine Stufe über ihr ist, aber er hat sie zu jedem Kurs begleitet, und wenn sie den Raum wieder verlassen hat, war er da und hat auf sie gewartet. Was sich für Saphira eher erdrückend anhört, bringt Luna zum Lächeln.

Sie erzählt von seinem Humor, seinen schönen Augen, dass er sie nicht eine Minute von ihr gewendet hat und dass alle anderen wohl einen ziemlich großen Respekt vor Luca und Vlad haben. Wenn Saphira an die deutlichen Unterschiede zwischen Vlad, Luca und anderen in ihrer Altersklasse denkt, nicht verwunderlich. Saphira erzählt Luna von ihrem Job in dem Buchladen, das Treffen mit Calin erwähnt sie lieber nicht, noch immer könnte sie sich für ihre Dummheit ohrfeigen.

Als sie schließlich aufbrechen, ist es schon dunkel, was hier völlig normal ist. Hier bricht zu dieser Jahreszeit schon nach 6 Uhr die Dämmerung herein. Sie fahren zurück, doch kaum gelangen sie auf die unbeleuchtete Fahrbahn außerhalb der Stadt, hat Saphira doch so ihre Probleme mit dem Weg hier. Sie versucht sich krampfhaft auf den Rückweg zu konzentrieren, doch durch die vielen Bäume, die schlechte Ausschilderung, die Dunkelheit, die alle Schilder zu verschlucken scheint, merkt sie bald, dass sie wohl zu weit gefahren ist.

Saphira fährt in einen kleinen Seitenweg, um zu wenden, da bemerkt auch Luna, dass sie sich verfahren haben. »Warte mal, ich gucke, ob wir mit den Handys was anfangen können, ich habe Papas Handy-

Nummer dabei.« Sie steigt aus dem Wagen und geht zum Kofferraum, in dem alle Sachen verstaut sind, die sie sich heute neu angeschafft haben. Ein leiser erschrockener Aufschrei lässt Saphira von der unbrauchbaren Karte, die sie aus dem Handschuhfach genommen hat, aufblicken und schnell aus dem Auto steigen.

Draußen steht Luna neben dem Auto und blickt an ihr vorbei vor das Auto. Saphira folgt ihrem Blick und erkennt, dass – durch die Scheinwerfer angeleuchtet – zwei Personen aus dem Wald auf sie zukommen. Luna tritt schnell neben sie. Saphira versucht ruhig zu bleiben. Nur weil sie hier in der Pampa in einem Waldweg stehen, sollten sie jetzt nicht in Panik verfallen, auch wenn es dunkel ist und sie nicht mal eine Ahnung haben, wo sie sind. Es kann auch eine ganz harmlose Erklärung geben, warum die Männer aus dem Wald kommen, es ist ja noch nicht so spät, vielleicht sind es einfach Waldarbeiter, Arbeitskollegen von Anis. Doch je näher sie kommen, desto mehr erkennt Saphira, dass dies unwahrscheinlich ist.

Sie kann ihren Blick kaum abwenden. Die beiden Männer sind noch jünger, einer mit blonden Haaren ist vielleicht 19 oder 20, der andere ist viel dunkler, aber sicher auch erst 22. Saphira blinzelt leicht, die beiden sehen einfach zu schön aus. Sie haben ganz feine Gesichter, ihre Haut wirkt samtweich, kein Makel ist in ihren Gesichtern zu erkennen, einfach nur unendlich schön. Sie bewegen sich erhaben, grazil, beide haben ein lässiges Lächeln im Gesicht und wirken total entspannt, als wäre es das Normalste der Welt, sich hier in der Abgeschiedenheit im Dunkeln zu begegnen.

Luna flüstert ihr leise auf Spanisch zu, ob sie auch gerade die beiden heißen Typen sieht, die da kommen, sie scheint zu glauben, sie träume. »Die Frage ist wohl eher, ob wir träumen, zwei so hübsche Frauen hier draußen zu treffen«, gibt plötzlich der Dunklere in perfektem Spanisch und mit einer samtweichen Stimme von sich. Die beiden Schwestern werfen sich einen verwunderten Blick zu, wie konnte er das hören? Doch bevor sie weiter darüber nachdenken können, zieht der Blonde auf einmal tief die Luft ein.

»Lucian, riechst du das? Ich habe noch nie so einen süßen Duft gerochen.« Saphira ist nun komplett verwirrt, so gut die beiden auch aussehen, irgendetwas an ihnen strahlt Gefahr aus, und sie kommen immer näher. »Ähmm, wir haben uns verfahren, wir müssen ...«, weiter kommt Saphira nicht, denn plötzlich ertönt das ohrenbetäubende Jaulen eines Wolfes aus dem Wald. Jetzt hat Saphira auch noch ihr letztes Vorhaben über Bord geworfen, nicht in Panik zu verfallen. Die Männer scheinen das alles gar nicht zu registrieren, sie nähern sich schneller und sind ganz auf Luna und Saphira fixiert. »Ich habe noch nie so etwas Süßes ...«

»Bleib weg von ihr!« Alle Köpfe schnellen herum, als plötzlich aus dem Wald Calin und Vlad heraustreten. Hinter ihnen erscheint noch ein weiterer Mann, den Saphira und Luna bisher noch nie gesehen haben. »Was zur Hölle geht euch das an? Verschwindet!«, zischt der Blonde in Richtung der drei und fixiert die Schwestern wieder mit seinem Blick.

Saphira fühlt sich zwar gleich viel besser, da nun Calin, Vlad und der andere Mann da sind, doch wo kommen sie plötzlich aus dem Wald her? »Dorian, lasst sie in Ruhe! Ich meine das todernst.« Calins Stimme donnert durch die Luft, man hört in jeder Silbe, wie sauer er ist. Der dunklere von beiden seufzt leicht und wendet sich an die drei Männer, die sich sehr schnell auf sie zubewegen. Alle treffen gleichzeitig bei ihnen ein. Ohne etwas zu sagen, schiebt Vlad Luna hinter sich, Calin und der andere Mann bauen sich vor Saphira auf. Zugegeben, Saphira hat selbst vorhin Panik bekommen, aber diese feindliche Haltung ist nun auch etwas übertrieben.

Doch auch die beiden anderen Männer sind nun offenbar sauer, anscheinend kennen die Herren sich untereinander. »Calin, ihr übersteigt euren Zuständigkeitsbereich, das geht euch nichts an.« Diesmal wendet sich Vlad zu Wort, und auch er hört sich äußerst aggressiv an: »Sie gehören zu uns! Also verschwindet und kommt nicht auf die Idee, noch einmal in ihre Nähe zu kommen.« Der blonde junge Mann, den Calin vorhin Dorian genannt hat, lacht spöttisch auf. »Wir kennen euren Clan, die beiden gehören nicht dazu, also verschwindet ihr und steckt eure Schnüffelnasen nicht überall rein.« Der Mann neben Calin bewegt sich vorwärts, doch Calin hält ihn am Arm zurück. »Lucian, Dorian, ich versichere euch, die beiden gehören zu uns. Wir werden das beim nächsten Treffen klären, ich denke nicht, dass Gabriel hierüber erfreut wäre. Das seht ihr sicher genauso, also lasst die Finger von ihnen.«

Die Männer tauschen böse Blicke aus, einen kurzen Augenblick ist es still, als würde jeder genau überdenken was nun zu tun ist. Saphira versucht, die Augenfarbe der beiden Männer gegenüber zu definieren, aber sie kann es nicht, es wirkt fast so, als lägen Schatten über ihren Augen. So langsam wird ihr das alles zu viel, sie versteht gar nicht, was hier vor sich geht, doch gerade als sie etwas sagen will, wenden sich dieser Dorian und Lucian ab.

»Darüber werden wir noch reden, Calin, verlass dich darauf. Das Thema ist noch nicht erledigt.« Sie gehen wieder in die Richtung, aus der sie gekommen sind, und diesmal bewegen sie sich viel schneller, zu schnell. Saphira blinzelt einmal, doch schon dreht sich Calin zu ihr um. Einen Moment scheint er tief einzuatmen, er mustert ihr Gesicht fast liebevoll, als wolle er sichergehen, dass ihr nichts passiert ist, doch dann – wie aus dem Nichts – werden seine Züge wieder härter, abweisend.

»Was tut ihr hier? Es ist gefährlich, hier alleine herumzufahren, ihr solltet euch vom Wald fernhalten!«, fährt er sie an, und alle Angst, die Saphira die ganze Zeit gespürt hat, weicht der Empörung. »Denkst du, wir sind hier zum Vergnügen? Wir haben uns verfahren, wir stehen hier sicher nicht aus Spaß herum, weil wir nichts Besseres zu tun haben. Was können wir denn dafür, dass es hier in diesem Kaff nicht mal richtige Straßenlaternen gibt?« Calin sieht sie an, er blinzelt einmal, zweimal, als könne er nicht glauben, wie Saphira ihn gerade angefahren ist. Als müsse sie ihren Worten noch Nachdruck verleihen, verschränkt sie die Arme vor der Brust.

Der Mann neben Calin fängt leise an zu lachen, und Calin blickt sie wütend an. Jetzt fällt Saphira das erste Mal auf, dass der andere Mann Verbrennungen im Gesicht hat; wenn er lacht, werden diese besonders deutlich. Saphira wappnet sich innerlich schon gegen den nächsten Angriff von Calin, denn so wie es aussieht, platzt er gleich, doch stattdessen reißt er sich zusammen und ignoriert Saphiras Antwort.

Er wendet sich an Vlad. »Bring die beiden nach Hause, Davud und ich sorgen dafür, dass ihr unbeschwert ankommt.«

Wieder versteht Saphira nicht, was seine Worte zu bedeuten haben, doch offensichtlich hat keiner vor, ihr etwas zu erklären. Vlad dirigiert sie und Luna ins Auto, während er sich ans Steuer setzt. Normalerweise würde Saphira sich das nicht gefallen lassen, aber gerade fühlt sie sich von allem überrumpelt. Sie setzt sich auf die Rückbank und sieht zu, wie Calin und Davud in Richtung Wald zurückkehren. Was war das gerade? Den ganzen Weg bis zu ihrem Haus löchert Saphira Vlad mit Fragen.

Wer waren die Männer? Was haben sie alle im Wald gemacht, wieso haben sie so eine offensichtliche Abneigung gegeneinander? Doch sie erhält keine befriedigenden Antworten. Vlad umgeht die Fragen locker, die Männer seien Idioten, von denen sie sich genauso fernhalten sollten wie vom Wald. Sie selbst hätten im Wald nach Arbeitsmaterial von Calins Vater gesucht, das dieser dort vergessen hatte, als sie plötzlich ihr Auto bemerkt hätten. Er scheint nicht ganz bei der Sache zu sein, er sieht immer wieder zu Luna, als könne er nicht glauben, dass sie dort wohlbehalten sitzt.

Als sie am Haus ankommen und Luna und Vlad sich noch vor dem Auto unterhalten, verabschiedet sich Saphira schon und geht hoch in ihr Zimmer. Dass sie erst heute Morgen noch gedacht hat, es würde vielleicht doch nicht so schlimm werden hier zu leben, ist jetzt für sie wieder unbegreiflich. Wie konnte sie das nur denken?

# Kapitel 5

Schon als Lucian vom Hinterhof wieder die Bar betritt, sieht Dorian, dass sein kleines Vergnügen mit der hübschen Blonden, zu dem er vor einer halben Stunde aufgebrochen ist, nicht sehr befriedigend war. Im Gegenteil, er sieht noch wütender aus als vorher. Hinter ihm kommt die Blondine herein und richtet ihre Haare, im Gegensatz zu Lucian sieht sie sehr zufrieden aus. Sie lächelt Lucian noch einmal zu und drückt ihm etwas in die Hand, wahrscheinlich ihre Nummer, die er nie wählen wird, so ist es immer.

Der dunkelhaarige Vampir mit dem kleinen Ziegenbart setzt sich zu Dorian an die Bar und klopft auf den Tresen: »Einen doppelten... dringend.« Die Barfrau lächelt matt, sie kennt den Konsum von ihnen genau. Für sie mussten sie auch extra Ausweise anfertigen lassen, damit sie überhaupt Alkohol konsumieren dürfen, in Anbetracht ihres wahren Alters lächerlich.

Alkohol bewirkt bei ihnen nicht das Gleiche wie bei Menschen, sie können nicht wirklich betrunken werden. Sie werden irgendwann etwas träger, aber sie können Alkohol genießen, ohne unter den Folgen zu leiden. »Was war los? Sie ist doch heiß.« Dorian sieht noch einmal zu der Blondine, seine ausgeprägte Sehstärke lässt ihn die kleine Wunde an ihrem Hals gut erkennen, er sieht, dass Lucian sie richtig verschlossen hat. Die Kleine erinnert sich nicht an den Biss, Menschen sind währenddessen in einem solchen Rauschzustand, dass sie das nicht bemerken. Sie werden lediglich eine kleine, minimale Wunde erhalten, manche bemerken diese sicher nicht mal. »Wie sollte ich noch etwas genießen, nachdem ich diesen Geruch wahrgenommen habe? Du hast doch selbst gerochen, welchen süßen Duft die beiden Mädchen ausgestrahlt haben.«

Dorian weiß, was er meint, er ist mittlerweile etwas über 500 Jahre alt, und noch nie hat er solch einen süßen, verlockenden Geruch von Blut erlebt. Sobald er nur daran denkt, läuft ihm das Wasser im Mund zusammen. »Es ist, als würde man dir ein Steak vorsetzen, du darfst aber nur den Brokkoli vom Teller essen«, meckert Lucian, und Dorian lacht. Er mag den älteren Vampir sehr gerne. Seit der Anweisung von den Wächtern vor ein paar Monaten, dass Lucian nicht mehr ohne Begleitung unterwegs sein darf, zieht er mit ihm fast jede Nacht um die Häuser.

Von ihnen allen fällt es Lucian am schwersten, die Grenzen einzuhalten. Er selbst sieht das zwar nicht so eng, aber er hält sich an die Auflagen. Sie nehmen sich etwas Blut von den Menschen, je nach ihrer körperlichen Verfassung brauchen sie einmal die Woche menschliches Blut. Im Gegensatz zu den vom Volksmund erzählten Ammenmärchen gleicht dies keinem Akt der Barbarei, sondern ist für die Menschen ein einmaliges berauschendes Erlebnis, an das sie sich später nur noch vage oder gar nicht erinnern können. Sie erleiden keinen Schaden, die Vampire können kontrollieren, wen sie verwandeln.

Eigentlich ist selbst das in Dorians Augen nichts Schlimmes, er selbst liebt sein Dasein als Vampir, doch wegen der Auflage der Wächter ist es ihnen nicht erlaubt, jemanden zu verwandeln. Es sei denn, es ist der ausdrückliche Wunsch der Person, was eine Farce ist, da sie ihre wahre Identität niemals vor einem Menschen preisgeben dürfen. Niemand dieser Menschen wird also sagen können, dass er gerne dasselbe unendliche Leben genießen möchte, das die Vampire führen. Noch eine Ausnahme ist es, wenn es sich um einen kranken oder schwer verletzten Menschen handelt, was auch äußerst selten passiert.

Das letzte Mal, als es eine derartige Zufallsbegegnung gab, war vor ungefähr 300 Jahren, wo Vladan und Catalina ihr jüngstes Mitglied Tristan schwer verletzt im Wald vorgefunden haben. Er war damals nur noch wenige Atemzüge von seinem Tod entfernt. Er wurde von einigen Räubern überfallen und schwer verletzt eine Böschung hinabgestoßen. Tristan hat sich nie wirklich damit abgefunden, nun einer von ihnen zu sein. Genauer gesagt hasst er es, Vladan behält ihn stets im Auge. Auch wenn sie unsterblich sind, gibt es sehr wohl Möglichkeiten, sie zu töten.

Feuer und Sonnenlicht setzen ihrer Unsterblichkeit ein Ende. Der eine oder andere Vampir hat diese Alternative schon genutzt. Tristan hatte Familie, eine Tochter und eine Ehefrau, die ihn nach seinem menschlichen Tod betrauert haben. Er hat sie nur noch aus der Entfernung beobachten können, und auch wenn die schon lange nicht mehr unter ihnen weilen, hat er sich mit dem ewigen Leben nicht abgefunden. Für Dorian ist diese Abneigung gegen die Unsterblichkeit unverständlich, er genießt dieses Leben, seine Wirkung auf die menschlichen Frauen und den Spaß, den sie zusammen erleben. Seine besonderen Fähigkeiten verleihen ihm unmenschliche Schnelligkeit, er würde dieses Dasein nicht mehr eintauschen.

»Verflucht seien diese Hunde, warum mussten sie auftauchen, ich muss mit Vladan reden. Sie spielen sich immer mehr auf. Man muss denen langsam mal Einhalt gebieten.« Dorian nickt zustimmend, auch ihn nerven diese Köter. Jede Nacht schleichen sie im Wald herum, um ihre Frauen vor ihnen zu beschützen. Als würde es denen nicht mal guttun, richtig Spaß zu haben. Eine vom Yasus-Stamm zu verwandeln oder anzurühren würde keinem von ihnen jemals einfallen. Alleine die Aussicht, wie Calin und seine Truppe ausrasten würden, reizt Dorian.

»Was mich mehr verwundert, ... hast du gesehen, wie die ältere der beiden versucht hat, uns in die Augen zu sehen?« Kein Mensch bemerkt etwas, für das menschliche Auge ist die Augenfarbe von ihnen nur sehr dunkelbraun; dass sie schwarz sind, können nur andere Mythenwesen erkennen. Lucian nickt: »Ja, ist mir auch aufgefallen, ich werde mit Vladan reden, ist mir egal, was die Hunde sagen, diese Leckerbissen lasse ich mir nicht entgehen.« Als sie einige Zeit später kurz vor der Morgenröte das kleine Schloss betreten, das sie mit ihrem gesamten Zirkel zu ihrem Anwesen gemacht haben, hören sie schon, dass alle anderen bereits da sind. Sie durchqueren den langen Eingangsbereich, der mit antiken Bildern vollgehängt und mit teuren Läufern aus Catalinas jahrzehntealter Sammlung ausgelegt ist. Sie sind Vampire, durch ihre lange Lebenszeit reichen ihr Wissen und ihr Verstand weit über die menschliche Vorstellungskraft hinaus.

So sind ihre Vermögen und ihre Reichtümer unschätzbar, sie lieben Sachen und Dinge aus allen Epochen, was in dieser Burg sehr zur Geltung kommt. Sie kommen am ersten Raum vorbei, in dem eine riesige Kinoleinwand angebracht ist. Sie alle lieben Filme, zwar in unterschiedlichen Richtungen, aber sie einigen sich immer. In dem

Raum stehen auch einige Spielautomaten und ein extra angefertigter Billardtisch, an dem gerade Tristan und Vladan ein Spiel machen. Auch wenn Tristan es mag und einem guten Spiel nie abgeneigt ist, sieht man ihm das nie an. Wenn er das fast Unmögliche einmal schafft, Vladan zu besiegen, freut er sich nie darüber, oder man kann es zumindest seinem Gesichtsausdruck nicht entnehmen. Dorian überlegt, ob er Tristan je lachen gehört hat.

Lucian ist noch so aufgebracht, dass er sofort zu ihnen geht und Vladan in allen Details erklärt, was heute Abend passiert ist. Dorian geht zwischenzeitlich zur gut gefüllten Bar und gießt sich einen Whiskey ein. Als Lucian endet, wandert Vladans prüfender Blick zu ihm hinüber, und Dorian nickt, um Lucians Aussage zu bestätigen. »Ihr seid sicher, dass sie nicht zu den Yasus gehören? Wieso sollten sich die Hunde sonst für sie interessieren?« Tristan knallt wütend seinen Queue auf den Tisch.

»Ist doch klar, Vladan, wie lange willst du dir das noch mit ansehen? Ich sage schon die ganze Zeit, dass Calin immer großkotziger wird. Sein Vater hat sich zurückgehalten, doch seit dieser übermütige Idiot das Hunderudel führt, biegen sie sich die Regeln, wie sie wollen. Sie tanzen uns auf der Nase herum, und Gabriel sieht zu. Ich sage dir nicht zum ersten Mal, dass wir uns das nicht mehr bieten lassen sollen.«

Vladan legt seinen Queue ebenfalls auf den Tisch. Er mag solche Zurechtweisungen überhaupt nicht, doch Dorian gibt zu, dass Tristan diesmal recht hat. »Ich kenne deine Meinung dazu, Tristan, euer aller Meinung, es ist ja nicht so, als würden mir diese Köter nicht auf die Nerven gehen, aber ihr wisst auch, was für Konsequenzen ein Vorgehen gegen sie hat. Gabriel würde das nicht dulden.« Vladan sieht jeden Einzelnen von ihnen an. »Gabriel? Gabriel sollte neutral sein, doch seine Sympathien liegen eindeutig bei den Kötern, das war schon immer so. Er hat diesen Ovid tief in sein altes Herz geschlossen, und genauso hat nun dessen Sohn diesen Platz eingenommen.«

Vladan nickt, jedem von ihnen geht diese ständige Überwachung vom Yasus-Clan und den Wächtern auf die Nerven. Andere Zirkel haben nicht solche Einschränkungen. Sie alle bleiben nur an diesem

Ort, weil sie schon ewig hier angebunden sind. Jeder hat seine eigenen Erinnerungen in dieser Gegend, und keiner von ihnen will gerne darauf verzichten, doch die Situation wird immer erdrückender. »Ihr seid sicher, dass sie nicht zu ihnen gehören?« Dorian nickt: »Sie sind neu in der Gegend, diesen Geruch würde keiner von uns vergessen.« Dorian kann sich ein Grinsen nicht verkneifen: »Zudem haben sie einen Dialekt und nicht das typische Aussehen wie jemand vom Yasus-Clan.«

Catalina betritt das Spielzimmer. »Hier seid ihr alle, es gibt Essen, kommt in den Saal.« Sie gibt Vladan einen Kuss und verlässt den Raum wieder. Vladan sieht seiner Gefährtin hinterher. Es ist selten, dass ein Vampir sich an jemanden bindet, viel zu sehr genießen sie das Vergnügen, doch wenn sich einer bindet, gibt es nichts Stärkeres. Vladan ist verrückt nach Catalina. Man sieht es in jedem Blick, den er ihr schenkt.

Beiden Frauen in ihrem Zirkel ist es sehr wichtig, gewisse menschliche Züge beizubehalten. So bereiten sie jeden Tag vor Sonnenaufgang – dem Zeitpunkt, wo sich jeder von ihnen für ein paar Stunden Schlaf zurückzieht – ein Essen zu, welches sie alle zusammen einnehmen. Sie bestehen darauf, keiner darf sich drücken, sie geben sich immer eine Menge Mühe beim Zubereiten der Mahlzeiten. Da sie alle sehr gerne Fleisch essen, riecht es auch heute nach einem köstlichen Braten. Vladan wendet sich ihnen wieder zu. »Ich werde noch einmal mit Gabriel reden, alleine. Er wird sicher einsehen, dass sich die Yasus langsam zu viel erlauben.« Tristan seufzt aufgebend auf: »Und wenn nicht? Was willst du dann tun?« Die Tür fällt ins Schloss, ein Zeichen dafür, dass die Sonne aufgegangen ist. Damit sie sich im Haus frei bewegen können, sind alle Fenster abgedichtet, es dringt kein Sonnenlicht ins Haus, die Tür öffnet sich erst bei Sonnenuntergang wieder. »Dann lassen wir uns etwas einfallen«, gibt Vladan von sich, man hört, dass es ihm selbst gegen den Strich geht.

Vladan ist der älteste und mächtigste Vampir, den es gibt. Dorian hat ihn ein paar Mal beim Kämpfen gesehen, er ist absolut tödlich. Es widerstrebt allen, wofür Vladan steht. Er fügt sich niemandem, doch er tut es um des Zirkels willen, damit es nicht zu unnötigen Komplikationen und Veränderungen kommt. Doch es bringt ihn fast um, und Dorian ist sich absolut sicher, dass Vladan das nicht mehr lange mitmacht.

Seit drei Tagen arbeitet Saphira nun im Buchladen, heute ist sie das erste Mal alleine in der Spätschicht. Es macht ihr sehr viel Spaß, genauso hatte sie es sich vorgestellt. Auch wenn hier in der kleinen Stadt nicht ganz so eine große Nachfrage herrscht, so ist doch meistens jemand da, der herumstöbert. Schüler bestellen ihre Bücher, es gibt viel zu beraten. Saphira liebt es. Marion ist sehr lieb, und eigentlich könnte alles perfekt sein, aber eben nur eigentlich. Sie sieht aus dem Verkaufsfenster, von der Theke, hinter der sie sitzt, hat man einen direkten Blick zu der Werkstatt. Es regnet gerade draußen, die Sonne ist schon vor einer Stunde untergegangen, der Laden schließt erst um acht, und die letzte Stunde vor Ladenschluss ist fast gar nichts mehr los.

Sie sieht zur Werkstatt, aus der gerade Calin tritt und abschließt. Sie beobachtet seinen breiten Rücken. Eigentlich schließen alle Geschäfte hier erst um acht, doch die Werkstatt schließt jeden Tag bereits, kurz nachdem die Sonne untergegangen ist. Die paar Tage hat sie alle regelmäßig gesehen. Luca ist oft in der Garage, Saphira ist sich sicher, dass Vlad früher regelmäßig in der Garage zu Besuch war, doch momentan ist er auch nachmittags nicht mehr von Lunas Seite zu bekommen. Saphira bekommt das nur durch Lunas abendliche Schwärmereien mit, sie ist bereits jetzt bis über beide Ohren in Vlad verliebt. Ihren Erzählungen zufolge muss er ein absoluter Traummann sein.

Saphira hat auch diesen Mann mit den Verbrennungen im Gesicht noch einmal gesehen, zusammen mit Cesar, der gestern Unmengen von Pizzen in die Werkstatt gebracht hat. Er war so nett, ihr und Marion ebenfalls zwei mitzubringen, und der Mann hat ihn begleitet. Er heißt Davud und ist im Gegensatz zu Tolja und Radu, die sie auch schon kennengelernt hat, eher ruhig. Während Saphira die anderen des Öfteren vor der Garage herumalbern sieht, ist er meistens ernst und nachdenklich. Sie sieht ihnen gerne zu, wie sie lachen, sich gegenseitig auf die Schippe nehmen, Spaß haben, es sei denn, Calin ist dabei.

Saphira weiß nicht, was sie falsch gemacht hat, aber er scheint sie zu hassen. Er lacht ebenfalls viel, macht Spaß, doch sobald er sie erblickt, versteinert sein Gesicht. Er ist nett und höflich zu ihr, doch man spürt, dass er sie nicht gerne um sich hat. Das macht Saphira rasend vor Wut, da sie ihm gar nichts getan hat. Eigentlich sollte es ihr egal sein, sie kennt ihn nicht, aber es stört sie doch, von ihm so missbilligt zu werden, ohne etwas dafürzukönnen.

Calin dreht sich um und geht zu seinem Jeep. Mittlerweile kennt Saphira diesen riesigen schwarzen Geländewagen genau und kann es nicht verhindern, dass ihr Herz schneller schlägt, wenn er angefahren kommt oder sie ihn in der Stadt sieht. Sein Blick gleitet automatisch zu ihr in den Laden, bevor er ins Auto steigt, und Saphira wendet ihren Blick ab. Das tut er immer, er sieht jedes Mal nach ihr, nur warum? Um sie dann mit seinem gleichgültigen Blick zu beglücken? Kurz darauf hört sie den Motor und wie sein Wagen davonfährt, doch Saphira sieht stur auf die neuesten Bestellungen. Sie blickt erst wieder auf, als kurz danach die Türklingel läutet und Kunden ankündigt, was zu dieser Uhrzeit fast nie vorkommt. Verwundert sieht Saphira auf.

Zwei Frauen betreten das Geschäft, und Saphira schluckt schwer, sie sehen aus wie Top-Models. Beide sind groß und schlank, beide bewegen sich grazil, fast schwebend. Eine von ihnen hat lange schwarze Haare, die sie zur Seite gebunden hat, die andere hat feuerrote Locken. Ihre Erscheinungen sind unnatürlich schön, beide sind sehr blass, sie haben ganz feine Gesichtszüge, sie sind einfach perfekt. Als sie zu Saphira sehen, richtet diese sich auf, um etwas größer zu wirken, trotzdem überragen beide sie sicher um einen Kopf. »Hallo, sind Sie neu hier? Wo ist denn Marion?« Nicht nur von der sanften Stimme der Rothaarigen ist Saphira abgelenkt, auch sind die Augen der Frauen merkwürdig. Sie kann die Augenfarbe nicht definieren. Sie wirken so dunkel, fast schwarz.

Plötzlich stößt die Dunkelhaarige die andere Frau leicht an, und diese scheint tief Luft zu holen. »Ich hab dich hier in der Gegend noch nie gesehen, aber ich hab schon von euch gehört, du und deine Schwester seid neu hergezogen, oder?« Die Schwarzhaarige scheint sich wieder zu fassen und lächelt Saphira nun zuckersüß an. Saphira versucht, sich von deren umwerfendem Erscheinungsbild nicht zu sehr beeindrucken zu lassen. »Ja, hallo, ich bin Saphira, meine Schwester Luna und ich sind hierher zu unserem Vater gezogen. Ich arbeite jetzt hier im Buchladen. Marion hat schon Feierabend, aber vielleicht kann ich euch helfen?« Die Schwarzhaarige nickt und lächelt. »Ich bin Catalina, das ist Nicola. Wir leben etwas außerhalb der Stadt, aber kommen regelmäßig her. Nicola liest für ihr Leben gern, und es ist mal wieder Zeit, unseren Bestand aufzufüllen.«

Saphira tritt hervor: »Kein Problem, wir haben gerade gestern neue Bücher bekommen.« Sie bedeutet den beiden Frauen, ihr zu folgen, doch Catalina schüttelt leicht den Kopf, und jetzt da Saphira so nah bei ihr steht, scheint sie immer tiefer die Luft einzuatmen. »Du bist ungewöhnlich schön, Saphira, weißt du das?« Catalina berührt eine von Saphiras Locken, die sich aus deren Zopf gelöst hat. Nicola räuspert sich und scheint Catalina einen mahnenden Blick zuzuwerfen. Saphira fragt sich ernsthaft, ob die beiden schon mal in den Spiegel gesehen haben, wenn sie sie als hübsch bezeichnen. Nicola reißt sie aus den Gedanken. »Nein danke, die Mühe brauchst du dir nicht zu machen, ich habe eine eigene Liste erstellt. Die Bücher werden immer für mich bestellt.« Sie reicht Saphira ein Blatt, auf dem sauber aufgelistet mindestens 20 Bücher stehen. Saphira geht die Liste durch, sie kennt fast alle der Bücher, Klassiker, zeitlose sehr gute Bücher, Romane, Legenden, sie zieht anerkennend die Augenbrauen hoch. »Sehr gute Auswahl.«

Nicola lacht leise: »Danke, du müsstest mal meine Sammlung sehen, ich bin sehr stolz auf sie. Ich liebe Bücher, sie sind Schiffe, welche die weiten Meere der Zeit durcheilen.« Saphira nickt zustimmend. »Ja, ich liebe sie auch, dieses hier zum Beispiel«, sie zeigt auf einen in der Liste aufgeführten Roman, »habe ich drei Mal gelesen, ich musste mich regelrecht zu einem anderen Buch zwingen.«

Nicola sieht sich im Laden um. »Ich würde dir gerne meine Sammlung zeigen, man trifft heutzutage zu selten jemanden, der ein gutes

Buch zu schätzen weiß.« Saphira weiß, was sie meint, in ihrer Familie liest fast keiner. »Leider stimmt das. Es wird zu wenig gelesen, manche Bücher, die erscheinen, sind wirklich schon fast unverschämt, wenn man sich die kleinen Schätze von früher danebenstellt. Die besten Bücher sind nicht bekannt, eine Verschwendung von Talent.« Saphira geht wieder ganz auf bei diesem Thema, in der heutigen Zeit erhält man selten Zuspruch, wenn es um Bücher geht. »Ich könnte Ihnen die Bestellung auch nach Hause bringen, dann könnte ich einen Blick auf Ihre Sammlung werfen, ich würde mich freuen.«

Nicola scheint nicht sehr angetan, doch Catalina meldet sich zu Wort, nachdem sie davor nur schweigend der Unterhaltung zugehört hat. »Das ist doch eine gute Idee, du kannst ihr deine Sammlung zeigen, und ihr könnt euch stundenlang über Bücher austauschen, ich finde das eine großartige Idee.« Nicola sieht etwas verärgert zu der Dunkelhaarigen, und Saphira winkt ab: »Das war nur ... Sie können die Bestellung natürlich auch gerne hier abholen.« Nicola seufzt leicht, offenbar über einen Blick von Catalina, für Saphira scheinen die Augen und ebenso die Blicke, die sie sich zuwerfen, undefinierbar.

»Doch, ich würde mich sehr freuen, dich bei uns begrüßen zu dürfen, das Problem ist, es geht leider erst abends. Wir arbeiten alle tagsüber, und unser Haus ist schwer zu finden.« Saphira geht an den Computer und gibt die Bestellungen ein. In der Zwischenzeit gehen die beiden Frauen durch den Laden und unterhalten sich leise. Als Saphira fertig ist, wendet sie sich wieder an Nicola. »Am Montag wären alle Bücher da. Ich arbeite bis acht, danach kann ich die Bestellung vorbeibringen.« Nicola und Catalina kommen wieder zu ihr an den Verkaufstresen.

»Das ist perfekt, am besten, wir treffen dich auf halbem Weg, wie gesagt, der Weg ist schwer zu beschreiben, kennst du das Ausgangsschild der Stadt?« Saphira nickt, das war dort, wo sie vor ein paar Tagen die merkwürdige Begegnung mit den beiden Männern hatte. Jetzt, wo sie daran denkt, fallen ihr einige Ähnlichkeiten zwischen den zwei Männern, Catalina und Nicola auf. »Okay, wir warten dort nach der Arbeit auf dich. Dann können wir dir den Weg zeigen, das wird sicher nett«, freut sich Catalina, und Saphira lächelt ihr zu.

Die beiden Frauen sind ihr sehr sympathisch, und etwas Anschluss hier kann sie gut gebrauchen. Luna ist nicht mehr von Vlad wegzubekommen, Anis arbeitet viel, und Calin, bei dem sie doch etwas Hoffnung hatte, ihn näher kennenzulernen, scheint sie zu verabscheuen. »Bis Montag, Saphira.«

Beide drehen sich noch einmal zu ihr um, »das wird sicherlich sehr interessant.«

# Kapitel 6

»Saphira und Luna, so heißen die beiden also ...«

Vladan lehnt sich satt zurück. Gerade haben sie ihr gemeinsames Essen beendet. Catalina und Nicola haben von ihrem Aufeinandertreffen mit dieser Saphira im Buchladen erzählt. Vladan weiß, dass Lucian und Dorian noch immer an die Begegnung mit den beiden Schwestern denken. Er selbst hat sie noch einmal ausdrücklich verwarnt, vorerst Abstand zu den beiden zu halten. Er war bei den Wächtern, doch Gabriel ist gerade für ein paar Tage mit Felicitas im Norden, sich um einige Angelegenheiten kümmern, so dass er dieses Thema nicht mit ihm besprechen konnte.

Raphael, der ihn dort empfangen hat, wusste natürlich, worum es geht, er hat es in Vladans Gedanken gelesen. Wie sehr Vladan diese Tatsache hasst, dass jemand in seinem Kopf herumschnüffelt! Raphael hat nur den Kopf geschüttelt. »Gabriel wird das nicht zulassen, er wird mit Calin reden. Wenn der bestätigt, dass die beiden Frauen zu seinem Clan gehören, müsst ihr sie in Ruhe lassen.« Vladan sah es gar nicht ein, mit Raphael darüber zu diskutieren, und wendete sich wütend ab. »Sag Gabriel, dass ich ihn sprechen will.« Er hat nicht vor, das zu akzeptieren, und Raphael ist sich dessen bewusst. »Meine Güte, Vladan, was macht ihr so einen Aufstand wegen zwei Menschenfrauen, die gibt es wie Sand am Meer. Sucht euch einfach andere und geht dem Ärger aus dem Weg.« Ohne etwas darauf zu erwidern, hat Vladan die Burg der Wächter verlassen.

Gabriel wird erfahren, wie sauer er ist, dessen ist er sich sicher. Seitdem lässt ihn das nicht mehr los, trotz allem hat Raphael recht. Was haben diese beiden Frauen an sich, was die Yasus genau wie Lucian und Dorian nicht loslässt? Er hat zwar die klare Anweisung gegeben sich von ihnen fernzuhalten, bis er die Angelegenheit mit Gabriel geklärt hat, doch natürlich hat er seine Gedanken mit Catalina besprochen. Das war auch der Grund, weshalb sie die Gelegenheit heute gleich genutzt hat, wenn die Schwestern von alleine kommen, tragen sie keine Schuld daran.

Lucian schnalzt mit der Zunge. »Sehr gut, also bekommen wir am Montag interessanten Besuch.« Nicola schüttelt schnell den Kopf. Schon während des gesamten Mahls war sie auffallend ruhig. »Ich weiß jetzt, was ihr meint, ich habe es selbst heute gerochen, aber sie … ich mag sie irgendwie. Wenn sie herkommt, rührt keiner sie an. Wir sind keine Barbaren. Wir hatten noch nie Menschen hier zu Besuch.« Tristan lacht schallend los. »Was hast du vor, Nicola? Willst du dir eine kleine Menschenfrau als Freundin nehmen? Denkst du nicht, es gibt da ein paar Sachen, die sie nicht verstehen wird?«

Vladan wirft ihm einen mahnenden Blick zu. Nicola ist eine ehrliche und empfindliche Seele, sie nimmt sich die schroffen Sprüche von Tristan und Lucian oft schwer zu Herzen, auch wenn sie sicher nicht so böse gemeint sind. »Nein, Nicola hat recht, keiner wird ihr ein Haar krümmen«, er steht auf, »sie scheinen für die Yasus interessant zu sein, ebenso wirken sie offenbar anziehend auf uns. Ich will herauskriegen, woran das liegt, also heißen wir sie willkommen, aber lasst die Finger von ihr.« Auch wenn er genau sieht, dass Tristan und Lucian nicht zufrieden sind, weiß Vladan, dass sie sich daran halten werden. Nach dem Essen ziehen sich alle in ihre Räumlichkeiten zurück.

Als Vladan aus der Dusche herauskommt, steht Catalina im Schlafzimmer vor ihrem Schminktisch und kämmt sich ihre langen schwarzen Haare. Vladan kann diesem Anblick nicht widerstehen, er geht auf sie zu und streicht ihre Haare zur Seite, um an ihren verführerischen Nacken zu kommen. Als er diesen mit seinen Lippen verwöhnt, geht ihr Atem augenblicklich schneller, und Vladan lächelt an ihrem Hals. Er kennt ihre Bedürfnisse genau. Er kann sich noch genau an den Tag vor ungefähr 600 Jahren erinnern, als er sie und ihren Bruder Lucian getroffen hat, sie waren gerade beide verwandelt worden und irrten ziellos durch die Wälder.

Ein ruheloser Vampir hatte sich ihrer bedient, leider gibt es nicht wenige von ihnen. Ruhelose Vampire leben alleine, ziehen umher, fristen ihr Dasein ohne Regeln. Die meisten Vampire leben in kleineren oder größeren Zirkeln zusammen. Es gibt in jedem Zirkel eigene Regeln, eigene Wertvorstellungen, doch wenigstens hat jeder seine Werte, die Ruhelosen haben diese nicht.

Vladan hat sich der beiden angenommen, auf den ersten Blick war er von Catalina fasziniert. Ihr schönes Gesicht, diese vollen roten Lippen, ihre kleine Stupsnase, die großen Augen, sie hat ihn sofort in ihren Bann gezogen. Auch wenn Lucian am Anfang nicht begeistert war, konnte er nicht verhindern, dass Vladan sie zu seiner Gefährtin gemacht hat. Bis heute fällt es ihm nicht schwer, auf andere Frauen zu verzichten, seine Catalina ist für ihn alles, was er braucht.

»Ich habe mir gedacht, dass dir mein Einfall heute gefallen wird«, seufzt sie leise, und Vladan schiebt den Satinmantel, der ihren Körper als einziges Kleidungsstück noch verhüllt, zur Seite, um an ihre verführerische cremige Haut zu kommen. »Du weißt fast immer, was ich will.« Seine Lippen gleiten ihre zarte Schulter entlang, und sie dreht sich abrupt um. Er lacht leise, als er in ihr fragendes Gesicht sieht, was er so liebt, er liebt ihren nie ruhenden Verstand.

»Fast?« Sie will ihre Arme vor der Brust verschränken, doch Vladan stoppt sie in der Bewegung. »Na ja, wenn du immer wüsstest, was ich will, hättest du den hier … «, mit einem Ruck öffnet er ihren Mantel und seine Hände umfassen ihre zarte Taille, » ... erst gar nicht angezogen.« Catalina lacht entzückt und schmiegt sich an Vladan. Er zieht ihren Duft ein, nein, er wird niemals genug von ihr bekommen.

Ihre Hände streicheln über seine Brust, nur in ihrer Gegenwart lässt er sich ganz fallen, seine Lippen finden ihre, und als ihre Hände weiter hinunter gleiten, kann er sich nicht mehr zurückhalten. Mit einer schnellen Bewegung wischt er achtlos alle Dosen und Schachteln von ihrem Tisch und setzt ihren festen Po darauf, ohne ihre Lippen eine Sekunde zu verlassen. Sie stöhnt erregt auf, als er ihre festen cremigen Brüste umfasst, und er kann nicht anders, als dass seine Lippen seinen Händen gleich folgen. Ihr Aufstöhnen lässt ihn erschaudern, seine Lippen und seine Zunge fahren immer tiefer. Nachdem er ihr lustvolle Aufschreie entlockt hat, als er sich ihrer süßen Mitte gewidmet hat, knabbert er an ihrem Oberschenkel, lässt seine Zähne an ihrer Haut entlangfahren. »Hör auf mich zu quälen«, flüstert sie erregt, es klingt fast wie ein Wimmern.

Vladan lacht, doch er arbeitet sich weiter hoch. Mit einer schnellen Bewegung zieht er ihr Becken an sich und führt seinen Schaft in sie ein, gleichzeitig legt sie ihren Hals frei und er beißt lustvoll zu, was alles andere nur noch intensiviert. Diese Art von Lust, ihr Blut auf seiner Zunge, gleichzeitig immer tiefer und schneller in sie einzudringen, es gibt nichts, was dies übertreffen könnte. Auch Catalina kann kaum noch klar denken, so sehr geht sie in ihrer Lust auf.

Doch etwas überschattet dieses unglaubliche Gefühl. In dem Moment, wo Vladan ihr köstliches Blut genießt, spürt er, dass es wieder so weit ist. Ein Vampir braucht regelmäßig menschliches Blut, das Blut seiner Gefährtin alleine reicht ihm nicht aus, um bei Kräften zu bleiben. Da es selten bei einer reinen Nahrungsaufnahme bleibt, wenn sich Vampire an Menschen nähren, ist dieses Thema zwischen Gefährten immer sehr schwierig, aber bisher hat Vladan, genau wie Catalina, der Versuchung widerstanden, bei ihnen ist es bisher immer nur bei der Nahrungsaufnahme geblieben. Trotzdem gefällt es keinen von beiden, wenn der andere sich wieder nähren muss, doch es ist ein Übel, mit dem sie beide leben müssen. Er schiebt die Gedanken beiseite, genießt den Geschmack, den Duft, das Hier und Jetzt mit seiner geliebten Gefährtin.

Saphira läuft die Regale in dem Supermarkt ab. Nicht nur, dass es hier ganz andere Sachen gibt als in Venezuela, sie findet die komischen Ananas in Dosen nicht, die sie für Luna und ihren Obstsalat mitbringen soll. Ananas in Dosen, das hört sich schon schrecklich an, es ist schwer, hier irgendetwas zu finden. Hier scheint es generell alles nur in Dosen zu geben, in diesem Laden findet man auch weit und breit niemanden, den man fragen kann. Saphira blickt in ihren Einkaufskorb, wenigstens frische Bananen und Kiwis hat sie bekommen, alles andere gibt es offenbar nur in Dosen.

»Kann ich dir helfen?« Saphira schreckt zusammen, als sie Calins Stimme so dicht neben sich hört. Sie wendet sich zu ihm um. »Hast du mich erschreckt!« Er lacht, und Grübchen bilden sich wieder auf seinen Wangen. Calins Blick verweilt ruhig auf ihrem Gesicht, und sie fühlt sich wohl mit diesem Blick, zu schnell kann sie dabei vergessen, wie er sie die letzten Tage ignoriert oder vielmehr missbilligt hat. »Um ehrlich zu sein, suche ich Ananas ... in einer Dose ... aber ich werde sie schon finden.« Calin lacht wieder und geht weiter. »Sicher wirst du das, aber nicht in der Abteilung für Nudelgerichte, die gibt es hier drüben.«

Saphira folgt ihm in den nächsten Gang, wo er eine Dose aus dem oberen Regal nimmt und ihr hinhält. Leicht angewidert sieht Saphira auf die Dose. »Danke schön ... sehr interessant.« Sie spürt weiter Calins Blick auf sich, während sie die Dose in den Korb legt. »Was ist interessant?« Sie zeigt auf ihren Korb und lächelt. »Das, was ihr eurem Obst antut.« Calin greift ebenfalls ins Regal und holt zwei Dosen heraus. »Das machen wir nicht freiwillig, im Sommer gibt es mehr frisches Obst, aber wir sitzen nicht wie ihr an der Quelle.« Sie laufen zusammen zur Kasse. Als Saphira ihren Einkauf auf das Band legt, legt Calin seine Sachen hinzu.

»Wir werden uns daran gewöhnen, wie an vieles.« Noch immer kann Saphira ihr Lächeln nicht unterdrücken, auch wenn ihre Stimme leiser wird, sie genießt es viel zu sehr, plötzlich nicht mehr so abweisend von Calin behandelt zu werden. Sie achtet gar nicht darauf, dass die Kassiererin alles zusammen eingibt, denn die Frau an der Kasse scheint Calin praktisch mit ihren Blicken auszuziehen. »Hallo, Calin, wie geht es dir? Du warst lange nicht mehr hier, sonst kommt meistens Cesar.« Calin wendet seinen Blick von Saphira und lächelt freundlich zu der dunkelhaarigen Frau, die trotz ihres Kittels ihre weiblichen Reize gekonnt einsetzt.

»Hallo, Susa, ja, ich habe im Moment viel zu tun, aber Cesar hat mir deine Grüße immer ausgerichtet.« Er hält ihr einen Schein hin, erst da achtet Saphira wieder auf den Einkauf. »Nein, das zahle ich schon.« Calin reicht unbeeindruckt seinen Schein hin, und die Kassiererin gibt ihm sein Wechselgeld, dabei zwinkert sie ihm zu. Langsam setzt sich ein immer festeres Bild von Calin in Saphiras Kopf fest.

Er ist ein Macho, ein Frauenheld, seine Sprüche, die er abgelassen hat, die Frauen himmeln ihn an, seine mal liebe, dann wieder abweisende Art, mit Saphira umzugehen. Das alles ergibt langsam einen Sinn. »Ich kann das wirklich ... das ist ...« Calin packt die Einkäufe in eine Tüte und bedeutet Saphira, mit ihm den Laden zu verlassen. »Ist schon okay, ich schulde Anis noch einiges.« Das hört sich zwar nicht sehr glaubhaft an, aber sie lässt es durchgehen. Auf dem Parkplatz begleitet er sie zu ihrem Wagen.

»Erzähl mir von deiner Heimat, Saphira, von dort, wo es immer frische Früchte gibt.« Eigentlich will sie gar kein Gespräch mit Calin beginnen, doch sie vermisst ihre Heimat, und er hat gerade einen wunden Punkt getroffen. Ohne sich dessen richtig bewusst zu sein, beginnt sie zu erzählen. Von ihrer Insel, ihrer Familie, der Landschaft, dem Meer, ihrem Aussichtspunkt. Sie entflieht für ein paar Minuten dem verregneten kalten Wetter in Rumänien und beginnt zu schwärmen.

Sie kehrt erst nach einer Weile ins Hier und Jetzt zurück und trifft sofort auf Calins dunkle Augen, die sie fasziniert betrachten. »Entschuldige, dass ich dich hier so vollquatsche.« Er schüttelt den Kopf: »Nein, ich mag es, dir zuzuhören. Deine Augen leuchten, wenn du von etwas erzählst, was du liebst. So war es auch schon, als du von der Stelle im Buchladen erzählt hast.« Saphira wird langsam immer verwirrter. »Wieso bist du plötzlich so ... nett zu mir? Ich hatte die ganze Zeit das Gefühl, du kannst mich nicht leiden.«

Plötzlich ändert sich sein Gesichtsausdruck wieder. Er sieht sie ernst an, Calin scheint einen Augenblick zu überlegen, dann nimmt er seine Hand und streicht ihr einmal zart über die Wange. »Mache niemals den Fehler zu denken, ich würde dich nicht mögen.« Saphira versteht langsam die Welt nicht mehr, doch bevor sie etwas dazu sagen kann, hat sich Calin schon umgedreht und geht davon. »Pass auf dich auf, Saphira, grüß Anis.« Er steigt in seinen großen Jeep und braust unter Saphiras verwirrtem Blick davon. Sie kann diesen Mann nicht einschätzen, nichts an ihm, und sie sollte sich besser von ihm fernhalten, so wie er sie jetzt schon durcheinanderbringt. Den ganzen Weg nach Hause brennt die Stelle an ihrer Wange, wo er sie berührt hat.

Bei ihr zu Hause trifft sie auf Vlad und Luna, die zusammen auf der Couch liegen und, nachdem Saphira das Haus betreten hat, auseinanderspringen. »Schon gut, ich bin es nur«, gibt sie Entwarnung. Luna kommt freudig auf sie zu. Immer wenn Saphira die frühe Schicht hat, trifft sie nachmittags auf die beiden, sie scheinen nicht genug voneinander zu bekommen. Saphira mag Vlad, er ist nett und höflich, aber vor allem ist er Luna offenbar total verfallen und trägt sie auf Händen. Saphira freut es besonders, weil Luna ihn kennengelernt hat, ohne, dass er, wie die Männer in ihrer Heimat, von dem alten Märchen weiß, dass sie gesegnete Töchter des Mondes sind, und sie alleine aus diesem Grund zur Frau haben wollen.

Luna und Saphira haben im Flugzeug beschlossen, niemandem in ihrer neuen Heimat von diesem Märchen zu erzählen, um ebendiesem zu entgehen, und Saphira freut sich, dass ihre Schwester so schnell so guten Anschluss gefunden hat. Luna macht sich gleich daran, den Dosen-Obstsalat zu machen. Vlad hilft ihr, während Saphira sich um die Wäsche kümmert. Da es schon später Nachmittag ist und plötzlich die Sonne etwas herauskommt, stellt sie den Wäscheständer in ihren Garten, nahe an dem Wald, wo die Sonne noch ein paar Strahlen auf den Rasen wirft. Doch bevor sie anfangen kann die Wäsche aufzuhängen, kommt Vlad heraus.

»Saphira, hat Anis euch nicht gesagt, dass ihr vom Wald wegbleiben sollt?« Saphira dreht sich verwundert zu Lunas Freund um. »Ich hänge doch nur Wäsche auf, am Wald nicht im Wald.« Sie muss lachen, und auch Luna tritt heraus. »Siehst du, was ich meine, jeden Tag ermahnt er mich sicher fünf Mal, nicht in die Nähe des Waldes zu kommen, du übertreibst.« Sie haut ihrem Freund leicht auf den Arm und lacht, »man könnte ja wirklich glauben, dass in euren Wäldern riesige Monster wohnen.«

Vlad lacht nun ebenfalls, gesellt sich zu Saphira und befördert den Wäscheständer wieder auf die Veranda. »Ja, aber wenn ihr heute Abend die Wäsche abnehmt, ist es gefährlich. Ihr habt recht, es gibt Monster, und ich möchte nicht, dass mein Engel und ihre Schwester von diesen Ungeheuern gefressen werden.« Vlad lächelt, Luna und Saphira auch, man kann ihm mit seiner lustigen Art nicht böse sein, auch wenn Saphira es hasst, so bevormundet zu werden. Doch so sehr Vlad lächelt, seine Augen erreicht es nicht, und man erkennt eine leichte Sorgenfalte auf der Stirn.

Calin wirft den Zündschlüssel wütend auf den Motor, heute ist nicht sein Tag. Die ganzen letzten Tage hat er sich von Saphira ferngehalten, und es fiel ihm wirklich schwer. Zu allem Überfluss hat er sie nun täglich vor der Nase, und auch wenn er weiß, dass er ihr besser aus dem Weg gehen sollte, verlangt alles in ihm nach ihr, obwohl er mit ihr nie eine Zukunft haben wird, weil sie eben nicht seine Seelenverwandte ist. Sein Körper scheint einen inneren Kampf auszutragen, und das ermüdet ihn. Jede Nacht versucht er es aufs Neue, er kann sich diese widersprüchlichen Gefühle nicht erklären und hat jedes Mal die Hoffnung, dass es doch passiert, dass dieses Gefühl, das er von Tolja, Radu und nun auch Vlad kennt, eintritt, wenn er ihren Geruch in Gestalt eines Wolfes wahrnimmt, doch es passiert nicht.

Heute im Laden hätte er einfach weitergehen sollen, aber er konnte nicht. Als sie dann von ihrer Heimat erzählt hat, konnte er sich nicht sattsehen an ihr. Doch als sie verwundert gesagt hat, dass sie spürt, wie er sie zu ignorieren versucht, hat es ihm weh getan. Er will das nicht, er muss, aber er will es nicht. Ihre Worte, ihre glänzenden Augen beim Erzählen von ihrer Heimat treten noch einmal vor sein inneres Auge, und ihm kommt ein Einfall. Er hat heute so oder so schon gegen sein Vorhaben verstoßen sie zu ignorieren, dann sollte er es wenigstens ganz auskosten. »Ich bin weg«, ruft er Cesar und Davud zu, die ihn nur verwundert ansehen, sich aber jeden Kommentar verkneifen.

Nachdem sie alle gegessen haben und Luna Saphira von Lucas ständig wechselnden Freundinnen erzählt hat, klingelt es plötzlich an der Tür. Nicht nur Saphira scheint erstaunt darüber, dass plötzlich Calin mit Luna im Wohnzimmer steht. »Chef? Was machst du denn hier?« Saphira blickt zu Vlad, der sich noch einmal vom Essen auftut, seit wann ist Calin sein Chef? »Ich wollte Saphira etwas zeigen.« Saphiras Blick kehrt zu Calin zurück, ihr etwas zeigen? Hat er sie nicht heute Mittag noch ganz verdattert auf dem Parkplatz stehen lassen? »Was willst du mir zeigen?« So langsam hat sie das Gefühl, dass Calin sie in den Wahnsinn treiben will. »Komm schon, es ist eine Überraschung. Es ist mir gerade eingefallen, es tut auch nicht weh, versprochen.«

Zwar weiß Saphira nicht wirklich etwas damit anzufangen, doch ihre Neugier lässt sie Calin unter dem Dauergrinsen von Vlad und Luna aus dem Haus folgen. Automatisch will Saphira zu ihrem kleinen roten Liebling umschwenken, doch Calin hält sie am Arm und führt sie zu seinem Monster-Jeep. »Meine Überraschung, mein Auto.« Saphira fügt sich, und während der ganzen Fahrt führt sie ihm doch noch einmal deutlich die Vorteile eines solchen kleinen Gefährten vor Augen. Als Calin dann jedoch in einen Waldweg fährt, verstummt sie, ihr wird etwas mulmig. Gut, Anis scheint Calin zu vertrauen, aber sie kennt ihn noch nicht besonders gut, vielleicht ist es jetzt allerdings etwas zu spät, darüber nachzudenken.

Calin fährt über den holprigen Weg, wenigstens ist es noch einigermaßen hell. »Das sind dann wohl die Vorteile, die ein solches Auto hat«, gibt er zufrieden von sich und klopft auf sein Lenkrad. Saphira lehnt sich zurück und atmet tief die Luft ein. Hier im Auto ist Calins Erscheinung noch viel präsenter, sein anziehender Geruch liegt schwer im Wagen, seine Hände am Lenkrad wirken so breit, dunkel und groß. Sein Lächeln ist noch betörender, und wenn seine Augen sich auf sie richten, bemerkt Saphira die ersten Schmetterlinge im Bauch und wendet den Blick schnell ab. Plötzlich hält er abrupt an und steigt aus. Bevor Saphira es schafft, die Tür zu öffnen, ist er schon an dieser und hilft ihr aus dem Wagen. »Ab hier müssen wir laufen.« Sie laufen nicht lange, ein paar Schritte im Wald, und vor ihnen erstreckt sich ein riesiger, im leichten Sonnenschein glänzender See.

Der Anblick fesselt Saphira augenblicklich, einige Steine, die vom Ufer bis fast zur Mitte des Sees reichen, scheinen sie geradezu aufzufordern auf sie zu klettern. »Wow, das ist schön. Anis hat mir schon erzählt, dass es hier einen See gibt, aber dass er so groß und schön ist, hätte ich nicht erwartet.« Calin führt sie an die Steine heran. »Ich musste vorhin daran denken, als du vom Meer erzählt hast. Zwar ist es von hier zum Meer eine ziemlich lange Strecke, aber ich dachte, dass dir der See vielleicht auch gefallen wird.«

Calin bleibt vor den Steinen stehen, so als überlege er, ob Saphira überhaupt darauf klettern will, doch die Frage beantwortet sie, indem sie es einfach tut. Sie liebt es, es erinnert sie an ihren Felsen in Venezuela, blitzschnell ist sie am letzten Stein angekommen, einem großen flachen Stein, und Calin ebenso. Sie steht mitten im Fluss, und Calin hat recht, es ist wirklich herrlich hier.

Nicola läuft unruhig in ihrem Raum im Anwesen des Zirkels umher, morgen Abend wird Saphira hier sein. Sie muss zugeben, dass sie richtig aufgeregt ist, das wird für alle von ihnen eine Bewährungsprobe, auch sie hat noch immer Saphiras extrem süßen Duft in der Nase und somit auf der Zunge. Vladan hat sich die Tage schon den Kopf zerbrochen, was es mit diesen Schwestern auf sich hat. Es muss etwas geben, was keiner von ihnen weiß, was auf den ersten Blick nicht zu erkennen ist. Es muss etwas geben, dessen ist sie sich auch bewusst, sie kann nur hoffen, dass es morgen wirklich gut abläuft. Tristan hatte nicht so unrecht, vielleicht hat sie die kleine verrückte Hoffnung, dass sie diese Menschenfrau ein paar Mal sehen kann, sich mit ihr über Bücher austauschen kann, vielleicht haben sie noch mehr Gemeinsamkeiten. Nicola liebt ihren Zirkel, fühlt sich wohl, doch manchmal fehlt ihr jemand. Die Männer sind alle toll, jeder auf seine Art etwas Besonderes, sie und Catalina stehen sich sehr nah, aber Catalina hat eben auch Vladan, Nicola würde sich wirklich wünschen, jemanden außerhalb ihres Zirkels näher an sich heranzulassen, auch wenn sie weiß, dass es eigentlich unmöglich ist.

»Du warst ja ein ganz Schlimmer«, Saphira lacht, und Calin streicht ihr eine Strähne hinters Ohr. Sie weiß nicht, wie lange sie nun schon auf den letzten Felsen mitten im See zusammen sitzen. Erst hat sie von sich erzählt, von ihrer Familie, soweit sie konnte, ohne von ihrem komischen Märchen zu erzählen, das an ihrer Familie haftet. Dann hat das erste Mal Calin von sich erzählt, von seiner Kindheit, seinen Eltern, die Saphira, obwohl sie sie schon die ganze Zeit gemocht hat, mit jedem Wort noch mehr in ihr Herz geschlossen hat. Calin liebt seine Familie ebenso wie Saphira die ihre. Er erzählt von den vielen Streichen, die er und die anderen Jungs früher immer ausgeheckt haben, Saphira könnte ihm stundenlang zuhören.

»Guck mal, denkst du, so etwas gibt es auch in Venezuela?« Er zeigt zum Himmel, der sich gerade rosa färbt. Die Sonne geht unter, und es wirkt so, als würde sie direkt in den See eintauchen. Fasziniert betrachtet Saphira dieses Schauspiel. »Es ist überall anders ... aber immer wunderschön«, gibt sie leise von sich und sieht weiter der untergehenden Sonne zu, bis sie Calins Blick auf sich spürt. Als sie sich ihm zuwendet, sind sich ihre Gesichter plötzlich so nah, zu nah.

»Du bist wunderschön, Saphira«, flüstert Calin leise, seine Stimme wirkt so rau, rauer als sonst und sein Atem kitzelt ihre Wange. Saphira weiß nicht, ob es gut ist, doch als sich seine große Hand an ihre Wange legt und sie in seine dunklen Augen sieht, kann sie nicht anders, als es zuzulassen, dass er immer näher kommt. Seine Lippen legen sich vorsichtig auf ihre, und Saphira spürt augenblicklich, dass dies was anderes ist, etwas Besonderes.

Er küsst sie zärtlich, sie kann sich ein leichtes zufriedenes Seufzen nicht verkneifen, viel zu gut fühlt es sich an. Doch gerade als der Kuss intensiver werden will, trennt sich Calin abrupt. Man sieht ihm an, dass es widerwillig ist, dass es ihm schwer fällt, trotzdem legt er seine Stirn an ihre, und sie versteht die Welt nicht mehr. »Es geht nicht, Saphira, so gerne ich es möchte. Glaub mir, es reißt mir gerade selbst das Herz aus der Brust, aber es geht nicht.«

Saphira schließt die Augen, dann steht sie auf und geht, ohne ein weiteres Wort zu verlieren, zurück zum Jeep. Als Saphira wenig später bei ihrem Haus aus Calins Auto steigt, knallt sie wütend die Tür zu und geht zum Haus. »Saphira, warte!« Saphira wirbelt sauer zu ihm herum. »Halt dich von mir fern, Calin.« Es ist alles was ihr zu diesen missglückten Abend noch einfällt und sie meint es vollkommen ernst. Sie geht ins Haus, direkt an Vlad und Luna vorbei in ihr Zimmer. Den ganzen Rückweg über hat Calin immer wieder probiert ihr etwas zu sagen, immer wieder angesetzt, doch letztlich nichts herausgebracht, was besser für ihn war.

Saphira ist geladen, hat er sie vorher verwirrt mit seiner zwiegespaltenen Art, macht er sie nur noch rasend. Wütend auf sich selbst schmeißt sie sich aufs Bett und will nichts mehr von der Welt hören. Sie wusste doch, dass sie sich nicht mit ihm abgeben sollte, sie wusste es und hat nicht auf ihr inneres Gefühl gehört, nun weiß sie, dass sie es endgültig aufgeben soll und keinen weiteren Gedanken an Calin verschwenden sollte.

Am nächsten Abend sitzt Vlad zusammengekuschelt mit Luna auf der Hollywoodschaukel vor ihrem Haus. Er ist zufrieden, glücklich, er hält seine ganze Welt in seinen Armen. Er ist kaum noch in der Lage, ein paar Stunden ohne sie zu sein, doch er muss sich auch etwas zurückhalten, damit er Luna nicht überfordert. Sie hat keine Vorstellungen davon, wie verrückt er nach ihr ist, was dahintersteckt, und er will ihr Zeit geben. Vorhin war er kurz in der Werkstatt, aber ist schnell wieder abgehauen. Calins Laune war dermaßen schlecht, dass selbst Cesar seine Sprüche hat sein lassen. Calin stand die ganze Zeit am Fenster und hat Saphira beobachtet, die ihn nicht mal eines Blickes gewürdigt hat. Es kann ihm wirklich niemand von ihnen helfen, keiner weiß, was mit dem Chef los ist. Sie spüren seinen Zwiespalt, wie sehr es ihn quält, doch warum es so ist, was er dagegen tun kann, weiß keiner von ihnen.

»Ist deine Schwester noch sehr sauer gewesen?«, hakt Vlad vorsichtig nach und küsst seinen Engel auf ihre süße feine Nase. »Du kennst Saphira noch nicht richtig, Calin kann froh sein, dass sie ihn nur ignoriert und ihn nicht zur Schnecke macht.« Sie sehen zu, wie die Sonne untergeht. Vlad hasst das, nun ist er gezwungen Luna zu verlassen, er muss sich verwandeln, ein paar Stunden im Wald unterwegs sein. Er sieht zur Einfahrt, Saphira müsste jeden Moment kommen. »Vielleicht kannst du deine Schwester ja etwas aufheitern.« Luna lächelt mild. »Ach, ich glaube, das wird schon. Sie trifft sich heute mit zwei Frauen, die sie im Buchladen kennengelernt hat. Sie hat sich schon sehr darauf gefreut, das wird sie ablenken.«

»Wirklich, mit wem denn?« Luna lehnt sich zufrieden an seine Brust. »Du bist wirklich neugierig, ich glaube, du kennst sie nicht. Saphira hat erzählt, dass sie nicht von hier sind. Sie wohnen etwas außerhalb der Stadt. Eine Catalina und eine Nicola.« Vlads Herz setzt einen Moment aus. Er dreht Luna, so dass sie ihn ansieht. »Catalina und Nicola? Bist du dir sicher?« Luna nickt verwirrt.

»Hat sie noch was gesagt? Was machen sie? Wo treffen sie sich? Warum? Wie sehen sie aus?« Mittlerweile sieht ihn Luna an, als wäre er leicht geistesgestört, und so sieht er wahrscheinlich auch aus. Sein Engel hat keine Vorstellungen davon, in was für einer Gefahr ihre Schwester gerade ist, wenn sich seine Vermutung bestätigt.

»Was machst du für einen Alarm? Vlad, was soll das? Sie hat nicht viel erzählt, meine Schwester ist erwachsen. Sie hat mir nur gesagt, wie sie heißen und dass sie unglaublich schön sind, die eine hat rote Locken ...«

Weiter kommt Luna nicht, ihr Freund ist schon aufgesprungen, sie sieht ihm verwundert hinterher, wie er zu seinem Wagen rennt und mit quietschenden Reifen davonfährt.

# Kapitel 7

Saphira stellt ihr Auto direkt neben dem Ausgangsschild zur Stadt ab. Da es aber schon dunkel ist, bleibt sie lieber im Auto sitzen. Sie stützt ihren Kopf müde an der Kopflehne ab und schließt die Augen. Der Tag heute war lang, dazu dieses komische erneute Aufeinandertreffen mit Calin, was sie nur noch wütender macht. Sobald sie zu ihrer Schicht aufgetaucht ist, kam er aus der Werkstatt und hat sie aufgehalten. Er wolle mit ihr reden, es sei alles nicht so, wie sie denke, er kann es aber auch nicht erklären, er wisse selbst nicht, was mit ihm los sei, er … Saphira hat ihn unterbrochen und ihm noch einmal gesagt, dass er sich von nun an bitte von ihr fernhalten soll, sie mag solche Spiele nicht. Den ganzen restlichen Tag hat er sie mit seinen Blicken verfolgt, es war richtig anstrengend, diese Blicke zu ignorieren.

Ein Klopfen an der Fensterscheibe lässt Saphira aufschrecken und ihre Augen öffnen. Draußen steht Catalina und lacht, sicher über ihren erschrockenen Gesichtsausdruck. Wieder ist Saphira von ihrem Anblick fasziniert. »Wartest du schon lange?«, tönt es gedämpft durch die Fensterscheibe. Saphira erholt sich vom ersten Schrecken und steigt aus. Beim Aussteigen fällt ihr ein teures schwarzes Auto auf, welches hinter ihrem hält. Als sie genauer hinsieht, entdeckt sie am Steuer Nicola, die ihr zuwinkt. »Nein, ich bin auch gerade erst gekommen«, antwortet Saphira auf die gerade gestellte Frage und geht zu ihrem Kofferraum.

»Ein interessantes kleines Ding hast du da.« Catalina betrachtet Saphiras roten Liebling. »Ja, ich liebe ihn!«, gibt sie stolz zurück, sie ist sich bewusst, dass sie wohl mit ihrem kleinen Flitzer hier in der Stadt auffällt wie ein bunter Papagei, aber es ist ihr egal. Saphira nimmt sich eine der beiden großen Kisten, die sie und Marion vorhin mühevoll in ihr Auto gehievt haben, und Catalina greift beherzt zur anderen. So problemlos, wie sie die Kiste zu ihrem Auto trägt, könnte man meinen, sie würde Gewichte stemmen, aber an ihrem zarten Körper ist davon nichts zu erkennen. Danach bietet ihr Catalina den Platz auf der Beifahrerseite an, aber Saphira setzt sich lieber auf die Rückbank. Sobald sie im Auto sitzt, schenkt auch Nicola ihr ein warmes Lächeln und begrüßt sie, bevor sie den Motor startet.

Während der Fahrt fragen Catalina und Nicola Saphira über ihren Tag aus, die beiden scheinen ehrliches Interesse an ihrem Wohlbefinden zu haben, und einen Moment denkt Saphira darüber nach, ihnen von Calin zu erzählen, doch sie fahren nicht sehr weit, und schnell halten sie vor einem großen Haus, das von Wald umringt wird und wie ein kleines Schloss wirkt. Saphira war so abgelenkt, dass sie gar nicht auf den Fahrweg geachtet hat, doch es wirkt wirklich sehr abgelegen. Nicola gibt auf einer Fernbedienung einen Code ein, und das massive Eisentor öffnet sich vor ihnen. Als Nicola das Auto hindurchnavigiert, fahren sie auf einen mit Steinen ausgelegten Innenhof, in dessen Mitte ein prachtvoller Brunnen steht. Nun ist sich Saphira absolut sicher, dass dieses Haus mal ein Schloss war. Sofort kommen ihr die ganzen alten Märchen in Erinnerung, die sie als Kind verschlungen hat.

»Euer Haus ist wunderschön ... und groß.« Nicola fährt zu einem großen Garagentor, und Saphira ist beeindruckt. Egal wie alt das Haus wirkt, es scheint auf dem neuesten Stand der Technik zu sein. Das Garagentor öffnet sich ebenfalls nach einem Knopfdruck auf der Fernbedienung. »Wir leben hier zu sechst, da braucht man viel Platz.« Sobald sie in die Garage fahren, entpuppt sich diese als fast genauso groß wie Calins Werkstatt, nur dass hier keine kaputten Autos stehen, sondern noch ein paar mehr von diesen dunklen Luxusautos wie jenes, in dem sie selbst gerade sitzt. Sie betrachtet alles fasziniert, »das ist schön, seid ihr alle eine Familie?« Nicola zuckt die Schultern, »so kann man es zumindest nennen.«

Catalina dreht sich zu Saphira um, ihre Augen blitzen glücklich auf. »Es ist schon Familie, mein Bruder Lucian wohnt hier mit uns und mein ... Mann Vladan, du wirst beide kennenlernen.« Saphira findet das gut, sie selbst kennt es nur so. Im Haus ihrer Oma haben zwar nur sie und Luna gelebt, aber es war immer der Mittelpunkt des Familienlebens. Alle Tanten, alle Verwandten sind fast jeden Tag dorthin gekommen, sie ist eine enge Gemeinschaft gewohnt und liebt es.

Nachdem sie ausgestiegen sind, nehmen Nicola und Catalina die großen Bücherboxen. Saphira läuft in ihrer Mitte zu einer Tür, die sie ins Haus führt. Sie weiß, dass sie nicht hässlich ist, im Gegenteil, sie hat stets für ihr Aussehen viele Komplimente bekommen, es hat sogar zu einigen Komplikationen geführt, und manchmal hasst sie es einfach nur. Doch als sie nun neben diesen beiden Frauen läuft, kommt sie sich so klein, schmächtig und unbedeutend vor.

Sie betreten eine große Eingangshalle, die mit edlen Läufern und Bildern ausgestattet ist, es stehen antike Sitzmöbel in den Ecken, kleine Tische mit Vasen daneben. Alle Details scheinen perfekt aufeinander abgestimmt zu sein. Saphira will sich gerade weiter umsehen, denn hier gibt es viel zu entdecken, da kommen aus einem der Räume, die von der großen Eingangshalle abgehen, zwei Männer heraus. Einer von ihnen lacht, und als Saphira genau hinsieht, erkennt sie den blonden Mann, den sie letztens mit Luna getroffen hat, als sie sich verfahren haben. Den Mann, dem er gerade auf die Schulter klopft, hat sie allerdings noch nie gesehen, daran würde sie sich erinnern. Er sieht ziemlich grimmig aus, und an Stelle von Haaren ist sein kahlgeschorener Kopf über und über tätowiert. Sie entdecken die Frauen und kommen zu ihnen. »Da seid ihr ja schon, wir hatten euch nicht so schnell erwartet.« Vladan und Lucian sind noch unterwegs, sie beeilen sich aber sicher.«

Saphira spürt, wie Catalina neben ihr zusammenzuckt. Bevor sie sich aber zu ihr umdrehen kann, steht der blonde Mann vor ihr. »Saphira ... wir hatten bereits das Vergnügen.« Er nimmt ihre Hand und drückt ihr einen sanften Kuss auf den Handrücken. Saphira spürt, wie sich das Blut in ihren Wangen sammelt. »Leider kamen wir nicht dazu, uns vorzustellen. Ich bin Dorian.« Er hält ihre Hand an seine Nase und schließt kurz die Augen. »Es ist mir ein Vergnügen, dich kennenzulernen«, fügt er hinzu. Nicola räuspert sich und rollt leicht die Augen. »Und das ist Tristan«, stellt sie den anderen Mann vor, der wohl etwas auf Distanz bleiben will und Saphira nur leicht zunickt.

Saphira erinnert sich, dass sie schon bei der ersten Begegnung mit Nicola und Catalina an die beiden Männer aus dem Wald denken musste, und nun sieht man mehr als deutlich ihre Gemeinsamkeiten. Sie alle haben helle, ganz feine Haut, sie wirkt fast seidig. Sie alle wirken so erhaben, Saphira ist sich sicher, dass sie alle einer Familie entstammen müssen. Als Dorian ihre Hand wieder freigibt, nickt Saphira auch zu Tristan. »Danke ebenfalls, ja, das war eine komische Situation an dem Abend«, gibt sie zu, und Dorian grinst übers ganze Gesicht: »Komisch schon, aber nicht unangenehm.«

Nicola und Catalina stellen beide die Kisten in eine Ecke, Nicola tritt neben Saphira und legt leicht den Arm um sie. »Dorian, komm mal wieder auf den Boden. Komm, Saphira, ich zeige dir meine Schätze.« Catalina lacht und knufft Dorian leicht am Arm: »Ja, tu das, ich sehe mal nach dem Essen, Dorian geht mir sicherheitshalber mal lieber zur Hand.« Dorian zwinkert Saphira noch einmal zu, und sie spürt wie ihr wieder eine leichte Röte ins Gesicht steigt. Normalerweise ist sie nicht schüchtern, aber auch Dorian hat so etwas Erhabenes, dass sie sich bei seinen kleinen Flirtereien vorkommt, als würde sie einen Star anhimmeln.

Nicola führt sie eine breite Treppe hinauf zu einem ebenso geschmackvoll und sicher auch sehr teuer eingerichteten Flur. Wie auch unten gehen hier einige Türen ab, doch sind diese alle geschlossen. Vor der vierten bleiben sie stehen, plötzlich wirkt Nicola etwas aufgeregt und wendet sich zu Saphira. »Ich hoffe, meine Sammlung enttäuscht dich nicht, ich habe schon gemerkt, dass du auf dem Gebiet ziemlich viel Kenntnis besitzt.« Sie öffnet die Tür, und Saphira betritt ein Paradies.

»Was redest du da? Wie kann das sein!« Wütend schleudert Calin sein Werkzeug, mit dem er gerade noch einen alten Truck repariert hat, in eine Ecke. Der Aufprall ist so hart, dass es zerbricht und eine tiefe Delle in der Wand zurücklässt. Gerade ist Vlad in die Werkstatt gerast gekommen und hat ihnen schnaufend gesagt, dass Saphira sich in den Händen der Vampire befindet. Es ist nur ein Zufall, dass er Calin überhaupt noch hier antrifft, normalerweise wäre dieser schon verwandelt, aber er wollte sich heute, so gut es geht, ablenken. Wäre er in Wolfsgestalt, hätte ihn alles nur wieder zu Saphira hingezogen.

Deshalb sind Luca, Davud und Radu schon alleine losgezogen, während Tolja und Cesar so tun, als wären sie schwer beschäftigt, aber eigentlich nur um ihn herumtigern und aufpassen das Calin nichts dummes tut, so geladen wie er heute den ganzen Tag war. »Wie zur Hölle kommen die an sie heran? Was soll das heißen, sie ist mit ihnen zusammen? Etwa freiwillig? Haben sie sie verschleppt?«

Vlad sieht zu Boden. Calin vergisst oft, dass er, wenn er so außer sich vor Wut ist wie jetzt, selbst auf sein eigenes Rudel beängstigend wirkt, vor allem auf die Jüngeren. »Ich weiß es nicht, aber sie scheint sich mit ihnen freiwillig getroffen zu haben. Sie ist jetzt mit ihnen zusammen, ich weiß aber nicht wo. Natürlich hat sie keine Vorstellungen davon, in was für einer Gefahr ...«, weiter kommt er nicht. Calin stürmt aus der Garage, Tolja und Vlad sofort hinterher, auch Cesar folgt ihnen, bleibt am Eingang aber zurück, während sich Calin, sobald er den angrenzenden Wald erreicht hat, verwandelt. Er durchkämmt die Gegend und wird fast wahnsinnig vor Sorge, nirgendwo entdeckt er eine frische Spur von ihr, er kann ihren Geruch nirgends finden. Es dauert nicht lange und Luca, Davud und Radu schließen sich ihnen an. Calins Wut muss sie erreicht haben.

Erst als sie in die Wälder kommen, wo Barnar langsam endet, schnappt Calin eine frische Duftspur von Saphira auf und entdeckt plötzlich ihr rotes Auto am Ausgangsschild von Barnar. Sein Herz beginnt noch schneller zu rasen, doch als sie ans Auto kommen, entdeckt er, dass es leer ist. Alles riecht nach Saphira, aber dann sträuben sich seine Nackenhaare, als er auch den Duft der Blutsauger wahrnimmt und hinter Saphiras Auto andere Reifenspuren entdeckt. Seine Wut und Angst um Saphira treffen mit voller Wucht aufeinander und lassen ihn ein ohrenbetäubendes Heulen durch die Wälder jagen.

Saphira befindet sich wirklich in einem Paradies. Abgesehen davon, dass dieser große Raum sehr schön eingerichtet ist, sind sämtliche Wände vollgestellt mit Bücherregalen, die mit den besten und ältesten Büchern bestückt sind. Saphira kann es nicht lassen, immer wieder das ein oder andere Buch herauszuziehen, es ist unfassbar. Nicola kann nicht älter als 23 sein, wie kommt sie zu so einer Sammlung?

Vor allem gibt es Bücher, die auf dem Markt gar nicht mehr erhältlich sind. Sie haben einen sehr hohen Wert, es gibt nur noch wenige Exemplare von ihnen, und hier stehen mehrere von diesen Raritäten. Nach dem ersten Rundgang dreht sie sich zu Nicola um. »Wie hast du es geschafft, so viele und solch kostbare Bücher zu sammeln? Es ist ein Traum, du kannst damit eine Bibliothek eröffnen, wie es sie wahrscheinlich noch nie gegeben hat. Wie kommst du an solche Raritäten, du bist doch sicher erst Anfang zwanzig? Das ist unglaublich!«, purzelt es aus Saphira heraus, und Nicola scheint einen Moment nicht zu wissen, was sie sagen soll, doch dann lacht sie leise.

»Ich habe geerbt, wie soll ich sonst daran kommen? Nein, mit der Bibliothek wird es nicht klappen, ich gebe die in keine anderen Hände. Ich bin da sehr eigen, doch du kannst dir gerne nehmen, was du willst. Ich weiß, dass du sie zu schätzen weißt.« Saphira lacht, sie mag Nicola wirklich gerne. »Wie wäre es mit ein paar Wochen hier drinnen und einem gemütlichen Sessel, mehr brauche ich nicht.« Nicola nickt.

»Du bist hier jederzeit willkommen«, tönt plötzlich eine Männerstimme von der Tür, und Saphira blickt sich zu dieser um. Ein Mann tritt nun in den Raum und lächelt freundlich. Nicola, die näher zur Tür steht, geht zu ihm und gibt ihm einen Kuss auf die Wange. »Saphira, das ist Vladan, er ist der … Mann von Catalina.« Natürlich hat Saphira erwartet, dass die hübsche Catalina einen gutaussehenden Mann hat, doch der große, breite Mann mit den kurzen dunklen Haaren sieht mehr als gut aus. Saphira schluckt leise, als er auf sie zukommt. »Es freut mich, dich kennenzulernen, Saphira«, er reicht ihr seine Hand und kneift kurz die Augen zusammen. »Okay, ich verstehe, warum alle so ... begeistert von dir sind!« Saphira sieht ihn fragend an, doch er fährt fort: »Du bist hier jederzeit herzlich willkommen, erst einmal sollten wir aber hinuntergehen, das Essen ist fertig. Catalina hat mich geschickt.«

Alle drei gehen zusammen in die Eingangshalle zurück, in einem der vorderen Räume hört man schon Stimmen. Sie betreten den Raum, und sofort verstummen alle Gespräche. Nicola stellt sich dichter zu Saphira. Es ist neben Catalina, Dorian und Tristan, die sie vorhin schon getroffen hat, noch ein weiterer Mann da, und Saphira erkennt sofort, dass es sich um den Mann handelt, der an dem Abend bei Dorian war. Seine dunklen Augen durchbohren sie beinahe. »Du kennst ja bereits alle, Lucian hast du ja bereits mit Dorian getroffen.« Man kann fast meinen, Vladan hätte den Namen Lucian als Drohung ausgesprochen, und augenblicklich fängt der an zu lächeln und nickt Saphira zu.

»Lasst uns essen, ich habe einen Bärenhunger«, unterbricht Dorian das Ganze mit seiner humorvollen Art.

Calins Füße tragen ihn wie von selbst, doch trotzdem hat er das Gefühl, er bewege sich zu langsam. Am Anfang sind sie den Reifenspuren gefolgt, doch schnell hat er Saphiras Duft wieder in der Nase, und je näher sie kommen, desto deutlicher wird dieser, und sein Herz verkrampft sich immer mehr. Sie haben sie in ihr Haus gebracht. Er sollte sich nicht zurückverwandeln, sie sollten das Haus stürmen und ihnen nacheinander die Kehlen aufreißen, bevor sie sie dem Feuer überlassen. Das hätten sie schon lange tun sollen. Einzig der Grund, noch in Erfahrung zu bringen, was sie mit Saphira gemacht haben, wo sie ist, lässt sie sich kurz vor dem Haus zurückverwandeln.

Saphira staunt nicht schlecht, als sie einen Blick auf den langen gedeckten Tisch vor sich wirft. Es gibt zwei verschiedene Braten, mehrere Beilagen, einen sicher sündhaft teuren Wein. Catalina drängt Saphira von allem zu probieren, und es schmeckt köstlich. Lediglich das Fleisch ist ihr etwas zu blutig. Sie schneidet nur die Ränder an, was Dorian, der neben ihr sitzt, sichtlich amüsiert. Saphira fühlt sich hier wohl, sie wirken alle wirklich nett. Immer mehr fallen ihr die großen Ähnlichkeiten zwischen allen auf, bei ihnen scheint die Schönheit in der Familie zu liegen.

Selbst Tristan mit seinen Tätowierungen, seiner ruhigen und gleichzeitig grimmigen Ausstrahlung ist wunderschön. Sie alle haben diese ungewöhnlich dunklen Augen, fast schwarz, doch wirklich erkennen kann Saphira die Farbe nicht. Sobald sie einen längeren Augenkontakt sucht, beendet es die Person schnell. Trotzdem sind sie alle sehr zuvorkommend, Catalina und Nicola auf eine liebevolle Art, Dorian auf eine sehr humorvolle, verspielte Art, Tristan zurückhaltend, aber höflich, nur bei Lucian weiß Saphira noch nicht recht ihn einzuordnen. Er lässt sie keine Sekunde aus den Augen, es fühlt sich aufregend und gefährlich zugleich an, wenn sie seinem Blick begegnet, was sie zu vermeiden versucht.

Vladan scheint sich auch sehr für sie zu interessieren. Er fragt sie während des Essens aus über ihre Familie, wie es kommt, dass sie so plötzlich hergekommen sind, aber Saphira schafft es gut, den Fragen so unauffällig wie möglich auszuweichen. Plötzlich ertönt ein lautes Wolfsgeheul durch die Mauer zu ihnen durch, und Vladan knallt augenblicklich seine Gabel auf den Tisch.

»Ich habe gar nicht gemerkt, dass ihr so nah am Wald wohnt«, wirft Saphira ein, etwas beunruhigt, wie nah sich der Wolf angehört hat, doch niemand hier hört ihre Aussage offenbar. Ohne ein Wort zu verlieren, stehen alle Männer wie auf Kommando zusammen auf. Sie alle wirken ernst, bis auf Tristan, der auf einmal zu einem fiesen Grinsen kommt. »Ich habe mir schon gedacht, dass der Abend lustig wird«, murmelt er beim Aufstehen.

Sie gehen zusammen aus der Tür, und Saphira blickt ihnen verwirrt nach. »Wollen sie jetzt nach dem Wolf sehen? Ist das nicht gefährlich? Haben sie ein Gewehr?« Catalina zuckt die Schultern. »Gefährlich nicht wirklich, unnötig eher, aber ein Gewehr wäre keine so schlechte Idee, dann ist man die Plage endlich für immer los.« Nicola lacht leise, und Saphira will etwas sagen, doch sie hört die schwere Haustür aufgehen und sofort eine vertraute Stimme.

»Wo ist sie? Verdammte Parasiten, was habt ihr mit ihr gemacht?« Saphira springt förmlich von ihrem Stuhl, als sie erkennt, dass es Calin ist, der dort draußen herumbrüllt. Was tut er hier, und wen sucht er? Sie? Nicola will etwas sagen, doch Saphira eilt schon den Männern hinterher. Als sie aus der Tür hinaustritt, wird ihre Sicht von den Rücken von Vladan, Dorian, Tristan und Lucian versperrt, doch sie versucht sich einfach zwischen ihnen durchzudrängeln, sie scheinen sie gar nicht zu bemerken.

Erst als sie durchschlüpfen will, hält Lucian sie am Arm fest, doch sie kommt zumindest so weit, dass sie auf Calin, Davud, Tolja, Radu,

Vlad und Luca sehen kann. Sie alle sehen furchteinflößend wütend aus. Im selben Moment allerdings, in dem Calin sie erblickt, weicht alles Wütende von ihm. »Lass sie sofort los oder du hast eine Hand weniger!«, zischt er zu Lucian. Diese Aussage ist jedoch unnötig, da Saphira gerade selbst Lucians Hand abschüttelt. Es ist gar nicht so leicht, die scheinen alle eine unglaubliche Kraft zu haben. Doch Saphira lässt sich von niemandem festhalten, sie weiß nicht, was die alle für ein Problem miteinander haben. Sie will gerade Calin fragen, warum er hier so ein Theater macht, doch dazu kommt sie gar nicht.

Schneller, als sie überhaupt reagieren kann, ist Calin bei ihr, zieht sie näher zu sich und seinen Jungs, und gerade als sie ihn fragen will, was zur Hölle in ihn gefahren ist, bemerkt sie seinen erleichterten Gesichtsausdruck. Die Augen, die sie schon viel zu lange in ihren Gedanken verfolgen, mustern sie besorgt. Calin umfasst mit seinen Händen ihr Gesicht und sieht sie sich genau an, dann scheint er ihren Hals zu betrachten, bevor er sie ganz in seine Arme zieht. Saphira ist von dieser plötzlichen Sorge vollkommen überrumpelt und kann gar nicht reagieren. Sie hat das Gefühl, dass Calin leicht zittert. Keiner sagt einen Ton. Calins Duft umhüllt Saphira, und für einen Moment schließt sie die Augen. Ihr Herz sagt ihr, dass sie sich an ihn kuscheln, diesen Kontakt, den sie sich doch heimlich gewünscht hat, genießen soll, doch ihr Verstand wehrt sich heftig dagegen.

»Geht es dir gut?«, fragt Calin gegen ihre Haare, und Saphira spürt einen Kuss auf ihrem Scheitel. Sie stößt ihn leicht von sich: »Ja, mir schon, aber dir offenbar nicht! Was tut ihr hier? Warum macht ihr hier so einen Alarm?« Ein Lachen von Vladan unterbricht den wütenden Augenkontakt von Calin und Saphira, nach ihrer Aussage scheint Calin auch wieder bemerkt zu haben, dass er ursprünglich sauer war. »Dasselbe frage ich mich auch. Wie ihr seht, will Saphira hier sein.« Vladans Stimme ist provozierend an Calin gerichtet, und dieser denkt offenbar nicht daran, Saphira selbst entscheiden zu lassen.

Er umfasst ihr Handgelenk mit seiner breiten Hand, während sein Blick zu Vladan wandert. Wenn sie es nicht schon vorher gemerkt hätte, spätestens jetzt wäre klar, die beiden hassen sich abgrundtief.

»Halt dich da raus! Das liegt nur daran, dass sie keinen Schimmer hat ...«

»DAS REICHT!« Augenblicklich wenden sich alle dem Ausgang des Grundstückes zu, wo wie aus dem Nichts drei Personen erscheinen.

# Kapitel 8

Saphira blinzelt mehrmals hintereinander mit ihren Augen, so unwirklich erscheint das Bild, als zwei Männer und eine Frau auf sie zukommen. Einer der Männer ist schon sehr alt. Er hat lange weiße Haare, trägt ein weißes Gewand und dazu eine Sonnenbrille auf der Nase, was geradezu paradox wirkt. Der Mann sieht aus, als wäre er gerade aus dem Altersheim entflohen, doch offensichtlich kennen ihn alle, sie sind mucksmäuschenstill bis auf den Mann, der neben dem alten Herrn steht. Der guckt Saphira an und fängt leise an zu lachen. »Das war nicht schlecht.« Er grinst Saphira an, durch die dunkle Nacht und seine sehr dunkle Hautfarbe blitzen seine weißen Zähne in der Dunkelheit auf. Sie hat das Gefühl, endgültig den Verstand zu verlieren. Was geht hier vor sich?

»Ich denke, ihr solltet das jetzt alle sofort sein lassen! Calin, bring die junge Frau nach Hause, wir treffen uns morgen und klären das Ganze!« Die Art und Weise, wie der ältere Mann das zwar sehr leise, aber dennoch sehr drohend sagt, hört sich nicht nach einem Vorschlag, sondern eher nach einem Befehl an. Als würden die ganzen Wilden hier, die sich nicht aus den Augen lassen, auf den alten Mann hören, doch zu Saphiras Verwunderung nicken Calin und Vladan beide zustimmend, und Calin deutet Saphira an mitzukommen.

»Nein, ich will aber nicht nach Hause! Ich denke nicht daran, irgendwo hinzugehen, bis ich erfahren habe, was hier los ist.« Saphira verschränkt ihre Arme vor der Brust, so leicht lässt sie sich nicht abwimmeln, die ganze Situation ist für sie zu unverständlich. Der ältere Herr seufzt laut auf, als wäre Saphira ein kleines quengelndes Kind, und nickt dem dunklen Mann neben ihr zu. Saphira will sich gerade an Calin wenden und ihn noch einmal fragen, wie es kommt, dass er plötzlich hier ist, da spürt sie auf einmal das dringende Bedürfnis, doch nach Hause zu gehen. Der Mann hat recht, sie sollte jetzt nach Hause gehen. Sie will jetzt unbedingt zu Hause sein.

Saphira will Calin gerade darum bitten, sie doch nach Hause zubringen, da hält schlitternd ein Wagen vor der Einfahrt, und Vlad flucht laut auf. »Was zur Hölle?« Doch bevor er seinen Satz zu Ende sprechen kann, kommt aus der Fahrertür eine hübsche, schwarzhaarige junge Frau heraus, und auf der Beifahrerseite erhebt sich Luna aus dem Auto. »Na großartig, das wird Konsequenzen haben«, murmelt der ältere Mann.

»Sora, was zum Teufel tust du hier? Wieso bringst du Luna hierher? Du weißt genau ...«, Vlad scheint außer sich zu sein. Er geht der jungen Frau, die mit Luna auf sie zukommt, entgegen. »Sie kam total verwirrt zu uns nach Hause, weil du einfach abgehauen bist. Nachdem sie mir erzählt hat, was passiert ist, habe ich mir gedacht, dass ihr hier seid. Sie hat sich solche Sorgen gemacht, und ich wollte mal nachsehen, ob ihr wirklich so wahnsinnig seid. Ovid killt euch alle.« Auch wenn sie es anklagend sagt, man hört heraus, dass sie sich Sorgen gemacht hat.

Als die beiden jetzt so beieinanderstehen, bemerkt Saphira die auffallende Ähnlichkeit zwischen ihnen. Sie haben dieselbe Haarfarbe, auch wenn die Haare der jungen Frau natürlich viel länger sind und ihr bis tief in den Rücken gehen. Auch haben sie dieselben grünen Augen, offensichtlich ist die junge Frau Vlad's Schwester. »Sora, das ist gefährlich. Das hättest du nicht tun dürfen«, mischt sich nun auch Calin vorwurfsvoll ein, und sie senkt den Blick, während Luna noch gar nichts gesagt hat, sondern nur entgeistert alle anwesenden Personen anguckt.

Sie stellt sich zu Saphira. »Was ist hier los?«, flüstert sie leise auf Spanisch, doch Saphira hat gerade absolut keine Lust, ihr das zu erklären. Wie sollte sie es auch? Sie weiß es selbst nicht, doch das stört sie auch nicht wirklich. Sie will nur nach Hause.

»Das ist höchst interessant ...«, werden ihre Gedanken von dem Mann unterbrochen, der neben dem älteren Herrn steht. Er blickt zwischen Dorian und Sora hin und her. Nun bemerkt auch Saphira den Blick, den Dorian Sora schenkt. Er scheint ganz gebannt von Vlads Schwester zu sein, verständlicherweise, sie ist wunderschön. Als nun jedoch alle zu ihm sehen, wendet er fast schon verlegen seinen Blick wieder ab. »Wie es scheint habt ihr eure Frauen nicht sehr gut im Griff«, lacht Vladan und begutachtet genüsslich die ganze Situation. Calin sieht so aus, als wolle er ihm den Hals abreißen.

»Lass uns gehen, Luna, ich will nach Hause.« Saphira ist das alles auf einmal egal, das Einzige, was sie noch will, ist nach Hause zu kommen. »Ich bringe euch«, wirft Sora schnell ein, sie scheint auch nur noch schnell hier wegzuwollen. Sie merkt wohl, wie geladen die Stimmung gerade ist. »Wir gehen jetzt alle! Ich erwarte euch morgen Abend.« Der alte Mann wendet sich zum Gehen ab, und Saphira versucht ein Auto zu entdecken, mit dem er gekommen ist, sieht aber keines.

Nicola kommt noch einmal zu ihr. »Tut mir wirklich leid, dass der Abend so geendet hat«, sie wirft Calin einen bösen Blick zu, der noch immer bei Saphira steht und offensichtlich auch nicht vorhat, diese Position zu ändern. Im Gegenteil, sobald Nicola sich nähert, tritt er nur noch enger an Saphira heran. »Kein Problem, du kannst ja nichts dafür«, Saphira ringt sich ein müdes Lächeln ab, zu mehr ist sie momentan nicht in der Lage. »Das werdet ihr ...«, will Calin ansetzen, doch Saphira hat genug, endgültig genug, »komm, Luna, wir verschwinden!«

Sie zieht ihre jüngere Schwester mit sich zum Auto, und Sora folgt ihnen. Ihr ist es egal, wie sie alle verbleiben. Sollen sie sich doch die Köpfe einschlagen, anscheinend ist das eh nicht zu verhindern. Doch als Sora den Rückwärtsgang einlegt, erkennt Saphira, dass sich Calin und die Jungs auch zurückziehen und Vladan und die anderen in ihr Haus zurückkehren. Was für ein Abend! Saphira lehnt sich müde zurück und schließt die Augen, noch immer hat sie das starke Gefühl, nach Hause in ihr Bett zu wollen. So stark, dass die Fragen von Luna förmlich an ihr abprallen. Was genau passiert ist, wer Nicola und die anderen sind und warum Vlad und alle so ablehnend auf sie reagieren. Wer die anderen drei waren, sie fragt sie, einfach was da gerade passiert ist, aber wie und was soll Saphira darauf antworten? Sie weiß es ja selbst nicht. Sora rutscht unterdessen unruhig auf dem Fahrersitz herum, bis sich Luna neugierig an sie wendet.

Offenbar haben sich die beiden auch erst heute kennengelernt, und Sora ist sogar die Zwillingsschwester von Vlad, wie Saphira erfährt.

Sie weicht jedoch den Fragen aus, erklärt nur, dass die Yasus, der Stamm, zu dem sie alle gehören, mit der Familie von Nicola und Catalina schon ewig verfeindet ist und das auch so bleiben wird. Deswegen rät auch sie den beiden Schwestern noch einmal, sich von denen fernzuhalten, was Saphira sofort gedanklich ausschlägt. Zu ihr waren sie alle nett und höflich, sie mag Catalina und vor allem Nicola gern. Wenn die Yasus mit ihnen ein Problem haben, ist das nicht ihres. Auch Luna spürt nun, dass man jetzt nicht mehr erfahren wird, und grinst Sora mit ihrer manchmal etwas frechen Art an.

»Also, so verfeindet könnt ihr nicht sein, so wie dieser blonde Surfer dich förmlich mit seinen Blicken ausgezogen hat.« Saphira muss auch lachen, das war vorhin ziemlich auffällig. Soras Wangen bekommen einen leichten Rotton. »Ich kenne sie nicht, keinen von ihnen, nur von den Namen und Beschreibungen der Männer. Ich habe noch nie einen von ihnen getroffen«, gibt sie leise zu, und Saphira schaltet sich ein. »Er heißt Dorian und scheint ein ziemlich netter Mann zu sein.« Sora hält in diesem Augenblick vor ihrem Haus. »Das denke ich weniger und werde es auch sicher nicht herausbekommen. Aber es war nett, euch kennenzulernen«, zwinkert sie Luna zu. »Wir werden uns jetzt sicher öfter treffen. Am Samstag machen wir einen Mädchenabend bei uns, mit DVDs-Ansehen, Popcorn, Pizza. Meine beste Freundin Liliana kommt, außerdem die Freundinnen von Radu und Tolja, Alicia und Snejana. Habt ihr auch Lust zu kommen? Das wird sicher lustig.«

Luna sagt begeistert zu, und somit nickt auch Saphira zustimmend, und sie verabschieden sich von Sora. Sobald sie im Haus sind, fällt Saphira ins Bett. Sie kann den Gedanken, diesen schrecklichen Abend bloß schnell zu vergessen, kaum zu Ende denken, da ist sie schon tief und fest eingeschlafen.

»Morgen werden wir das klären, so geht es nicht weiter!«, wütend knallt Vladan die Tür zu, selbst Catalina hält sich zurück, so aufgebracht, wie er gerade ist. Es hat schon die ganze Zeit zwischen den Yasus und ihnen gebrodelt, das, was Calin sich da gerade geleistet hat, hat nur das Fass zum Überlaufen gebracht. »Ich werde mal nach ihm sehen«, erklärt Catalina besorgt, nachdem sie alle eine Weile schweigend auf die Tür gestarrt haben, aus der Vladan gerade stinksauer verschwunden ist.

»Das wird auch langsam Zeit, die Köter tanzen uns schon viel zu lange auf der Nase herum!« Tristan wendet sich ab. »Hat jemand Lust auf eine Runde Billard?« Statt zu antworten, folgt ihm Lucian, doch Dorian und Nicola bleiben zurück. Nicola scheint mit ihren Gedanken ganz woanders zu sein, Dorian tut das Ganze leid für sie. Er hat gemerkt, wie sehr sie sich auf den Abend mit Saphira gefreut hat, aber es war nicht ihre Schuld, dass es so eskaliert ist. Im Gegenteil, sie alle haben sich von ihrer besten Seite gezeigt. Stumm wendet auch sie sich schließlich ab und geht enttäuscht davon.

Dorian ist wütend. Wütend auf diesen eingebildeten Sack Calin, auf dessen ganzes Rudel. Er geht hinaus in die Nacht, und erst da erlaubt er sich wieder, seine Gedanken an das hübsche Mädchen zurückkehren zu lassen, das vorhin mit Saphiras Schwester zu ihnen gestoßen ist. Dorian ist schöne Frauen gewohnt. Vampirinnen sind an Schönheit kaum zu übertreffen, er muss zugeben, dass ihnen die beiden Schwestern Saphira und Luna in nichts nachstehen. Noch eine Tatsache, die ihn neben ihrem süßen Blut verwundert.

Aber nicht die Schwestern, dieses andere Mädchen heute hat ihn verzaubert.

Ein Blick auf sie, ihre langen schwarzen Haare, die dunkle Hautfarbe, diese unglaublichen grünen, lebendigen Augen. Sie hat so eingeschüchtert und zerbrechlich gewirkt, dass sich Dorian nur mit Mühe zurückhalten konnte, sie nicht zu beschützen, bis ihm eingefallen ist, dass er und sein Zirkel diejenigen sind, die ihr Angst machen. Sie ist eine verdammte Yasus, es ist schon fast genetisch bedingt, dass sie sich hassen, und doch muss er an sie denken. Als Raphael seine Gedanken aufgeschnappt haben muss und seine bescheuerte Bemerkung gemacht hat, wäre er am liebsten unsichtbar gewesen, doch alle waren zu seinem Glück viel zu aufgebracht, um das Ganze überhaupt zu bemerken.

Dorian registriert kaum, wie er sich rasend schnell im Wald bewegt. Er sollte in die nächste Stadt zu ihrer Stammbar und sich etwas abreagieren, doch er findet sich selbst kurz vor dem Anfang des Yasus-Gebietes wieder. Ab hier halten die Hunde Wache, sie wollen die Frauen ihres Stammes vor ihnen beschützen, auch wenn es ihr Pakt mit den Wächtern sowieso verbietet, sich einer Frau aus dem Yasus-Stamm zu nähern. Doch das Rudel hat schon immer getan, was es wollte, und so bewachen sie zusätzlich noch jede Nacht ihr Gebiet. Es ist den Vampiren zwar nicht richtig verboten, es zu betreten – Catalina und Nicola werden auch zum Einkaufen in der Stadt geduldet –, aber die Hunde wachen trotzdem und benehmen sich so, als wären sie alle Ungeheuer, so dass sie selten mal eine Frau vom Stamm gesehen haben.

Dorian bleibt kurz vor der Stadt stehen. Er überlegt hin und her und lässt seine Sinne spielen, die so stark ausgeprägt sind, dass er schnell den blumigen Duft der jungen Frau ausgemacht hat. Er geht blitzschnell die Grenze ab, folgt dem Duft und stellt erleichtert fest, dass sich das Haus, in dem sich das Mädchen gerade befinden muss, am Rand der vom Rudel für sich selbst festgelegten Grenze befindet. Er klettert auf einen Baum und lacht leise, gewisse Vorteile gegenüber den Hunden haben sie unbestritten. Als er auf der Höhe des ersten Stockes ist, kann er von einem Ast in ein Fenster sehen und erkennt die junge Frau. Sie liegt auf dem Bett und verfolgt gespannt eine Fernsehserie.

Dorian schaltet die Stimmen aus dem Gerät aus, trotz des geschlossenen Fensters versteht er jedes Wort. Er setzt sich auf den Ast und studiert sie genau. Jedes Detail ihres schönen Gesichtes, ihre zierliche Figur; als sie ihre langen Haare genervt zu einem Zopf bindet, mustert er ihren schlanken Hals, den kleinen Leberfleck unter ihrem Ohr und die zarten Adern, die sich unter der weichen, dunklen Haut befinden. Ihm läuft das Wasser im Mund zusammen, und er erschrickt über sich selbst.

Wütend springt er vom Baum und schlägt seinen Weg in Richtung der nächsten Stadt ein. Was ist in ihn gefahren, dass er wie ein Affe auf einem Baum hockt und seine Feindin beobachtet? Schnell beschleunigt er seine Schritte, er braucht unbedingt Zerstreuung.

Saphira läuft unruhig in dem Bücherladen hin und her. Sie hat die Frühschicht und wartet ungeduldig auf Marion. Es brennt in ihr, seit sie heute früh aufgewacht ist. Sie kann sich noch an alles erinnern, erst der Zeitpunkt, wo Luna aufgetaucht ist, wird etwas verschwommen, aber sie will die Antworten, die sie gestern nicht erhalten hat. Sie blickt zur Werkstatt, Calin ist vor ungefähr einer Stunde mit Cesar gekommen, beide haben heftig diskutiert, und das erste Mal hat Calin nicht in den Buchladen gesehen, doch er wird ihr heute diese Antworten geben. Etwas später erscheint endlich das erlösende Gesicht von Marion in der Tür. Saphira hätte noch eine Stunde zu arbeiten, aber sie ist so hibbelig und aufgewühlt, dass Marion sie etwas besorgt nach Hause schickt. Saphira denkt allerdings gar nicht daran, nach Hause zu gehen, schnurstracks überquert sie die Straße zur Werkstatt.

Als sie diese betritt, geht Cesar gerade in den Innenhof, während Calin am Schreibtisch steht und Papiere zusammensucht. Bei ihrem Eintreten blickt er auf. Saphira will gleich loslegen, doch sie stockt einen Moment in ihrem Vorhaben. Die Bilder von gestern erscheinen wieder vor ihrem inneren Auge. Wie Calin sie besorgt angesehen hat, seine großen Hände ihr Gesicht umfasst haben, sein beruhigender Geruch, als er sie umarmt hat, auch er sieht sie nur an. Als sich ihre Augen treffen, fängt sie sich wieder und geht auf ihn zu. »Was war das gestern, Calin? Erkläre es mir«, bittet sie ihn, dafür, dass ihr das schon den ganzen Vormittag auf der Zunge liegt, noch ziemlich ruhig.

Calin wendet den Blick ab und steckt sich die Unterlagen in seine hintere Jeanstasche. Er trägt heute nur ein schwarzes Shirt, und Saphiras Blick huscht über seine muskulösen Oberarme. Saphira hat einen dicken Pullover, Winterboots und einen Wintermantel an, aber bei seiner Antwort wird ihr auch gleich viel heißer vor Wut. »Da gibt es nichts zu erklären, du warst dabei, du hast alles mitbekommen.«

Er wendet sich wieder ab und sucht in einem Haufen Autoschlüsseln nach einem bestimmten. Saphira kneift die Augen zusammen, sie hat sich schon gedacht, dass es nicht leicht wird. Sie macht auf dem Absatz kehrt. »Gut, wie du meinst, dann fahre ich zu Nicola und frage ...« Saphira kommt nicht mal dazu auszusprechen, schon hat er sie am Arm gefasst und hält sie zurück. »Das tust du nicht, Saphira, du musst mir ...« Saphira muss lächeln, sie wusste, dass er darauf reagiert. Jetzt kneift Calin die Augen zusammen und lässt ihren Arm los.

»Das ist kein Spaß, du sollst dich von denen fernhalten.« Er wendet sich ab, doch Saphira folgt ihm, während er sich eine graue Kapuzenjacke schnappt und sie überzieht. »Ja, das sagt ihr mir alle, aber niemand sagt mir, warum.« Calin geht einfach weiter zur Werkstatttür: »Genügt es nicht, dass wir das alle sagen?« Saphira reicht das Hinterhergelaufe, und sie stellt sich ihm in den Weg. »Nein, mir reicht das nicht aus!« Calin mustert sie einen Augenblick, dann hält er den Autoschlüssel hoch und grinst gerissen. »Ich muss los. Ein Kunde wartet.« Doch Saphira denkt gar nicht daran, sich abwimmeln zu lassen, und geht ihm voraus. »Gut, ich habe nichts mehr vor, ich begleite dich. Dann hast du genug Zeit, mir alles zu erzählen.«

Als der Truck losfährt, kuschelt sich Saphira in ihre dicke Winterjacke ein. Der Himmel sieht viel heller aus als sonst, trotzdem ist es eiskalt. Calin blickt zu ihr hinüber und schaltet die Heizung ein, während sich ein Lächeln um seinen Mund bildet. »Hat dir schon mal jemand gesagt, dass du unheimlich stur bist?« Saphira sieht aus dem Fenster: »Hab ich schon ein-, zweimal gehört.« Auf sein leises Lachen muss sie auch lächeln. Das erinnert sie an ihren letzten Ausflug, wieder atmet sie seinen Duft ein. Es fühlt sich so richtig an, sie denkt an die Zeit auf dem Stein, wie sie sich unterhalten, gelacht haben, der Kuss, der so sanft war, doch immer wieder stößt er sie von sich.

»Wir sind schon lange mit ihnen ... verfeindet«, fängt Calin plötzlich an, und Saphira kommt wieder ins Hier und Jetzt, sie hätte beinahe vergessen, wozu sie mitgefahren ist. »Das hat mir Sora gestern schon gesagt, aber woran liegt das?« Calin blickt kurz von der Straße zu ihr. »Sie sind nicht gut, Saphira. Es sind einfach keine guten ... Wesen. Niemand von unserem Stamm hat etwas mit ihnen zu tun, du musst uns in der Sache einfach vertrauen.« Saphira schüttelt leicht den Kopf. »Aber was genau haben sie denn getan, sie waren zu mir sehr nett ... jeder von ihnen.«

Saphira kann sich nicht vorstellen, dass die gutmütige Nicola schon einmal jemandem irgendetwas angetan hat. »Ich kann dir nicht mehr sagen, ich bitte dich einfach, dich von ihnen fernzuhalten. Deswegen bin ich gestern auch gekommen, ich habe mir Sorgen um dich gemacht, als Vlad mir erzählt hat, dass du da bist.« Saphira sieht ihn immer noch von der Seite an, während er auf die Fahrbahn schaut. »Dann hättest du auch einfach Luna nach meiner Telefonnummer fragen und mich anrufen können und nicht so einen Aufstand dort machen. Wer waren eigentlich die drei anderen Personen, die so plötzlich aufgetaucht sind?«

Calin zuckt bedeutungslos die Schultern: »Alte Freunde von uns.« Saphira runzelt die Stirn. »Was ist das für ein Treffen heute Abend, von dem der Mann geredet hat?« Saphira bemerkt, dass sie unterwegs in die andere Stadt sind, in der auch Luna zur Schule geht. »Es geht nur um etwas Geschäftliches«, gibt Calin nur knapp von sich und beginnt Saphira zu fragen, wie es dazu kam, dass sie Nicola und Catalina kennengelernt hat. Saphira erzählt ihm von dem Abend im Buchladen, und bei jedem Wort zieht Calin die Stirn mehr in Falten. Dann fragt er, was genau im Haus passiert ist, und Saphira umschreibt den Abend leicht, bis sie vor einem Haus halten. Saphira funkelt beim Aussteigen böse zu Calin, er hat sie reingelegt. »So habe ich mir das nicht vorgestellt.« Sie hat viel mehr erzählt als er, dabei sollte es doch andersherum sein. Calin geht sichtlich zufrieden zur Haustür, wo ein älterer Mann schon wartet und sich viele Male bei Calin bedankt, dass er ihm das Auto vorbeigebracht hat. Saphira wartet am Auto. Als Calin fünf Minuten später wieder zu ihr zurückkommt und sich die Jacke richtig zuzieht, fällt ihr erst etwas auf. »Und wie kommen wir jetzt zurück?«

»Wieso hast du das nicht von Anfang an gesagt?« Saphira läuft neben Calin den Bordstein der Straße entlang. »Ich hätte mit meinem Wagen hinterherfahren können, dann könnten wir jetzt damit zurückfahren.« Calin lacht: »Ich mag es zu laufen, und du wolltest doch reden.« Saphira wirft ihm einen wütenden Blick zu, aber sie wird das Gefühl nicht los, Calin findet es eher amüsant, als dass er es ernst nimmt. Sie müssen bestimmt eine Stunde zurücklaufen. Es ist schon ein gutes Stück geschafft, sie sind fast am Ende der Stadt angekommen, da deutet Calin auf ein kleines Lokal. »Lass uns noch etwas essen, damit du genug Kraft für den anstrengenden Marsch hast.« Ja, offensichtlich findet Calin das Ganze ziemlich amüsant, doch Saphira hat wirklich Hunger.

Das Lokal ist sehr gemütlich. Es ist auch außer ihnen niemand dort, so dass sie schnell ihr Essen bekommen. Saphira schafft es mit ihrem großen Appetit, den kompletten großen Burger aufzuessen, während Calin es allerdings fertigbringt, gleich zwei von ihnen zu verschlingen. Sie unterhalten sich entspannt über Vlad und Luna. Calin verrät ihr, dass Vlad mehr als verrückt nach Luna ist und sie sich keine Sorgen zu machen braucht, Luna ist bei ihm in guten Händen. Dann fragt Saphira weiter nach Sora, und Calin erzählt, dass die beiden Zwillinge zwar sehr unterschiedlich vom Wesen sind, aber sich sehr nahestehen. Über seine Leute zu reden scheint Calin überhaupt keine Probleme zu bereiten, und so erfährt sie noch einiges von den anderen Jungs.

Als sie von dem DVD-Abend erzählt, zu dem Sora sie eingeladen hat, scheint er sich zu freuen. Er sagt, dass sie Alicia, Liliana und Snejana mögen wird. Also gilt seine Abneigung im Allgemeinen nur Nicola und ihrer Familie. Saphira fühlt sich wohl mit Calin, sie genießt seine aufmerksame Art, wie er sie anblickt, sie verstehen sich gut, und er bringt sie immer wieder zum Lachen. Obwohl sie die Zeit mit ihm genießt, behält sie noch die letzte Begegnung im Hinterkopf, wo er sie so von sich gestoßen hat. Als sie die Rechnung bezahlen will, dafür dass er letztens den Einkauf bezahlt hat, lässt er das nicht zu. Er weigert sich beharrlich, irgendwelches Geld von ihr anzunehmen, und schiebt sie lachend aus dem Lokal.

Nachdem sie die Stadt verlassen haben, laufen sie nebeneinander auf der schmalen Rasenfläche neben der Straße zurück. Saphira startet einen erneuten Versuch und beginnt Calin wegen der Feindschaft zu Vladan auszufragen, aber schnell merkt sie, dass sie bei ihm da außer ausweichenden Antworten nichts bekommt, und als sie die ersten Regentropfen spürt, gibt sie auf. Erst will sie den Kopf senken, doch dann bemerkt sie, dass der Regen weiß ist, und bleibt erstaunt stehen.

»Es schneit!«

Calin sieht ebenfalls zum Himmel und runzelt die Stirn. »Wenn das so früh anfängt, wird es ein harter Winter.« Doch Saphira beachtet seine Bemerkung gar nicht und fängt die weißen Flocken mit der Hand auf. Sie werden immer mehr und immer dicker. »Es ist schön ...« Sie blickt zu Calin. »Hast du noch nie Schnee gesehen?« Saphira muss wirklich überlegen, sie kann sich nicht erinnern, sicher hat sie das schon mal, doch, bestimmt. »Ich komme ja nicht vom Mond.« Sie muss lachen. Seine schwarzen Haare sind schon voller Schnee, und seine dunklen Augen strahlen sie an. »Aber es ist wirklich ... schön«, murmelt sie und wird dabei immer leiser, als er sich ihr weiter nähert und ihr ein paar Flocken aus den Haaren streicht. »Das sagst du nur, weil du nicht sehen kannst, wie du im Schnee aussiehst. Das ist wirklich wunderschön.«

Sein Gesicht nähert sich ihr, und Saphiras Herz schlägt augenblicklich schneller, als sie seinen Atem spürt. Nein, sie darf das nicht noch einmal zulassen. Seine weichen Lippen berühren sanft ihre Wange. »Nicht, Calin, tue das nicht, wenn du es nicht kannst oder nicht willst oder was du auch ...« Calin sieht ihr in die Augen, aus dieser Nähe erkennt sie die kleine helle Narbe, die an seinem rechten Auge ist, sehr deutlich. Am liebsten würde sie vorsichtig darüberstreichen und fragen, woher sie stammt, aber sein Blick hält sie gefangen.

»Auch wenn ich es sollte, müsste, ich kann mich nicht mehr von dir fernhalten. Es geht nicht, es zerreißt mich innerlich, und das sage ich nicht nur einfach so.« Saphira ist etwas überrascht von seiner ehrlichen Antwort. »Dann tue es nicht!«, flüstert sie leise zurück, und Calins Hand streicht über ihre Wange, während sich seine Lippen auf ihre legen. Calin küsst sie wieder so zärtlich und vorsichtig wie beim ersten Mal, sie schmiegt sich enger an ihn. Sie liebt seine Nähe, seinen Duft, seinen Geschmack.

Als seine Zunge über ihre Lippen streicht und sie ihm Einlass gewährt, spürt sie deutlich die Schmetterlinge in ihrem Bauch. Sie ist dabei, ihr Herz an ihn zu verlieren, das spürt sie in diesem Moment ganz genau. Auch wenn sie noch nicht weiß, ob sie das beunruhigen oder glücklich machen soll, sie genießt diesen Kuss. Ihre Hände fahren durch seine Haare und umfassen seinen Nacken, um ihn noch näher bei sich zu haben.

Als sie den Kuss langsam lösen, küsst er ihre Lippen noch viele Male, auch ihre Nasenspitze, und sie muss lächeln. »Jetzt ist dieser Schneebeginn wirklich unvergesslich.« Er umfasst ihre Taille, vergräbt seine Nase in ihrem Hals und zieht tief die Luft ein. »Ja, das ist er!« Sein Atem kitzelt sie und bringt sie zum Lachen. Calin gibt ihr einen Kuss auf den Hals, bevor sich ihre Lippen erneut treffen. Sie können beide nicht genug voneinander bekommen. Doch als sie diesmal den Kuss lösen, legt Saphira ihre Stirn an seine. »Halte dich nicht wieder von mir fern«, bittet sie ihn leise. Saphira ist noch nie jemand gewesen, der sich gerne schwach zeigt, im Gegenteil. Doch sie lässt in diesem Moment ihr Herz sprechen und teilt ihm ihre Angst mit.

»Nein, das werde ich nicht, ich werde ... ich weiß noch nicht wie... ich werde darum kämpfen, um uns, komme, was wolle. Ich gebe dich nicht auf, ich werde eine Lösung finden.« Saphira will ihn fragen, wofür, noch immer versteht sie nicht, was er meint, was ihn von ihr fernhalten sollte, doch sie verkneift es sich, weil sie diesen schönen Moment nicht zerstören will.

Er gibt ihr noch einen Kuss und legt den Arm um sie.

»Komm, nicht dass dein erster Schnee dir noch eine Erkältung bringt.«

# Hijas de la luna -
# Die Legende der Töchter des Mondes

# Kapitel 9

Saphira ist überglücklich, als sie sich von Calin vor der Werkstatt verabschiedet. Anstatt nach Hause zu fahren, entscheidet sie sich spontan um und fährt zu Lunas Schule. Auch wenn Vlad nicht begeistert ist, entführt sie Luna quasi aus seinen Armen, um mit ihr shoppen zu fahren. Sie genießt die Zeit mit ihrer Schwester in vollen Zügen. Wirklich nach etwas Bestimmtem suchen sie nicht, sie stöbern einfach durch die Geschäfte.

Immer wieder kehren ihre Gespräche auf den gestrigen Abend zurück. Auch Vlad ist heute den ganzen Tag Lunas Fragen ausgewichen, doch ganz so viele Gedanken über die merkwürdige Situation, die dort entstanden ist, scheint diese sich nicht zu machen. Saphira hat ihr gesagt, dass sie den Mittag mit Calin verbracht hat, dennoch hat sie nicht erwähnt, dass sie sich so nahe gekommen sind. Saphira möchte gerne daran glauben, dass er sich dieses Mal anders verhält, doch so recht traut sie dem noch nicht. Sie hält ihre Schmetterlinge im Bauch lieber erst einmal versteckt, obwohl Luna sie des Öfteren nach ihrem ständigen Lächeln fragt.

Nach ihrem Einkauf nehmen sie sich noch Essen mit und holen Anis ab, um gemeinsam mit ihm einen schönen Familienabend zu haben. Einen Moment überlegt Saphira, noch zu Nicola zu fahren, um noch einmal wegen des gestrigen Abends mit ihr zu sprechen. Sie hat gemerkt, wie leid Nicola der Ausgang des Abends getan hat, aber dann verwirft sie diesen Gedanken wieder. Erstens weiß sie gar nicht genau, wie der Weg zu deren Haus ist, und zweitens hat der alte Mann gesagt, sie treffen sich heute alle. Calin meinte, es wäre etwas Geschäftliches. Saphira glaubt ihm nicht, die Yasus würden doch mit ihren Feinden keine Geschäfte machen. Saphira weiß, dass sie diesem Thema noch auf den Grund gehen wird, sie wird sich mit den ausweichenden Fragen aller nicht zufriedengeben.

Obwohl Calins Laune mehr als gut ist, ändert sich das schlagartig, als er die Burg der Wächter mit seinem restlichen Rudel betritt. Er spürt, dass die Blutsauger schon da sind. Als sie den Raum betreten, in dem sie sich immer treffen, sitzen, wie schon zu erwarten war, Vladan und seine restlichen Parasiten bereits um den großen Versammlungstisch herum. Felicitas steht etwas gelangweilt in einer Ecke, während Raphael bei Dorian sitzt. Gabriel lehnt am Fenster und sieht in die Nacht. Erst nach ein paar Minuten dreht er sich zu ihnen allen um. »Guten Abend, Calin«, er wendet sich erst ihm, dann jedem der anderen Jungs zu, »schön, dass ihr es einrichten konntet.«

Calin würde wirklich gerne die Augen verdrehen, doch er kann es sich gerade noch verkneifen. Als Raphael ihnen andeutet sich zu setzen, kommen alle dem nach, bis auf Calin. Er hat heute nicht vor, auf das gespielte nette Geplänkel einzugehen, das sie sonst immer alle pflegen. In dem Moment, als sie an Saphira herangetreten sind, hat sich für ihn das Abkommen in Luft aufgelöst, allein aus Respekt zu Gabriel hat er noch nicht gehandelt. Raphael räuspert sich und spannt sich leicht an, doch auch das ist Calin momentan egal. Gabriel nickt, anscheinend hat er sich schon darauf eingestellt, dass dieses Treffen nicht ganz so beherrscht wie die anderen ablaufen wird.

Er sieht sich ernst in der versammelten Runde um. »Was gestern passiert ist, ist nicht zu dulden! Es gibt Regeln, die einzuhalten sind! Diese Regeln haben einen für unsere Existenz lebenswichtigen Grund, das muss ich euch nicht erklären.« Wütend knallt er die Faust auf den Tisch. »Was habt ihr euch dabei gedacht, euch so unachtsam zu verhalten? Was haben Menschen in eurem Haus zu suchen?« Er wendet sich sauer an Vladan, der ziemlich uninteressiert die Arme hinter seinem Kopf verschränkt. Dann wendet er sich um und blickt Calin direkt in die Augen. »Was habt ihr bei dem Zirkel zu suchen? Was genau wolltet ihr dort tun? Euch vor den Menschen verwandeln?«

Statt dass einer der Anführer zu Wort kommt, meldet sich Nicola zu Wort. Normalerweise mischt sie sich niemals in eine hier in diesem Raum stattfindende Diskussion ein. »Ich weiß nicht, was daran verkehrt ist, dass Saphira in unserem Haus zu Besuch war. Keiner hat ihr etwas getan.« Sie verteidigt ihren Zirkel, doch Gabriel ist mittlerweile schon zu aufgebracht, um auf diesen Versuch einzugehen. »Selbst wenn ihr so dumm seid und denkt, ihr könntet mir etwas vormachen, sollte ihr Raphael besser kennen! Wir haben die Anziehungskraft der beiden mehr als deutlich gespürt, für beide Parteien!« Er erhebt sich und beginnt auf und ab zu laufen.

»Wer sind diese beiden Menschen, die so viel Unruhe stiften, sogar so viel, dass ihr alle Vorsichtsmaßnahmen vergesst? Ich habe selbst ihren ungewöhnlichen Duft bemerkt, also was hat es damit auf sich?« Calins Magen zieht sich zusammen, wenn so von Saphira gesprochen wird. »Wir wollten das gerade in Erfahrung bringen, doch dann kamen die Hunde.« Vladan lehnt sich entspannt zurück, und Calin kann sich nicht mehr zurückhalten. Leider hat das Raphael schon vorher gemerkt. Blitzschnell steht er bei Calin und hält ihn zurück, doch Calin sieht Vladan drohend in die Augen.

»Du wirst gar nichts an ihnen herausfinden! Wage dich nicht noch einmal in ihre Nähe, sie gehören zu uns!« Nun steht auch Vladan auf. Calin spürt, dass auch er nicht vorhat, sich noch länger an die Abmachungen zu halten. »Seit wann das? Denkt ihr, ihr könnt hier machen, was ihr wollt? Sie gehört nicht zu eurem Clan. Sie ist freiwillig zu uns gekommen, sie wollte bei uns sein, keiner hat sie gezwungen. Im Gegenteil, sie war nicht gerade erfreut, euch zu sehen.« Calin versucht sich wütend von Raphaels eisernem Griff zu befreien, alle anderen im Raum sind still, jeder spürt, wie angespannt die Situation ist.

Gabriel beugt sich über den Tisch, genau in der Mitte zwischen den beiden Anführern. »Zwingt mich nicht, Raphael noch anders einzusetzen. Beruhigt euch auf der Stelle! Meine Nerven sind so oder so schon zum Zerreißen gespannt, also übertreibt es nicht! Wieso gehören sie zu euch? Soweit ich herausgefunden habe, ist ihr Vater kein Mitglied der Yasus.«

Calin sieht Vladan in seine schwarzen Teufelsaugen, er denkt gar nicht daran, Gabriels forderndem Blick zu begegnen. »Das ist egal, sie gehören zu uns, und keiner dieser Blutsauger nähert sich ihnen.« Vladan grinst nur frech zurück. »Tun sie nicht, und das weißt du genau. Wenn sie gerne bei uns ist, dann ist sie jederzeit willkommen.« Bevor Calin antworten kann, schaltet sich Vlad ein. »Luna ist meine Seelenverwandte, somit gehört sie zu mir und somit zum Yasus-Clan.« Gabriel stößt sich sauer vom Tisch ab und reibt sich die Stirn. »Herrgott noch mal, das sind zwei Menschenfrauen, auch wenn sie sehr süßes Blut haben, wieso macht ihr alle deswegen so einen Aufstand?«

Vladan wendet sich ruhig an Gabriel: »Wir haben deswegen gar nichts gemacht. Die Hunde sind einfach in unser Gebiet eingedrungen. Der Clan nimmt sich immer mehr Freiheiten heraus, und ich denke, dass sie sich schon lange nicht mehr an irgendetwas halten. Wozu sollten wir das dann noch tun?« Calin will etwas erwidern, doch Raphael deutet mit einem Kopfschütteln auf Gabriel, der wütend beginnt durch den Raum zu laufen.

Gabriel ist niemand, der große Emotionen zeigt, selbst wenn er wütend ist, merkt man ihm das kaum an. Das bedeutet, er ist gerade so aufgebracht, dass er nicht mal mehr in der Lage ist, seine sonst so ruhige Fassade aufrechtzuerhalten. »Vlad hat recht! Die Tatsache, dass Luna seine Seelenverwandte ist, bindet sie an den Yasus-Clan. Die ältere Schwester, Saphira, gehört nicht zu dem Stamm und kann tun und lassen, was sie will. Trotz allem erwarte ich, dass jeder von euch probiert, Informationen über die beiden herauszubekommen. Es muss einen Grund dafür geben, dass sie, obwohl sie einfache Menschen sind, solche Auswirkungen für uns alle haben.«

Calin ist nun nicht mehr zu bremsen, Gabriels Worte haben Saphira quasi zum Freiwild für die Blutsauger gemacht. Er spürt, dass er kurz davor ist, sich zu verwandeln. Wenn sie so wütend sind, können sie die Verwandlung manchmal nicht mehr kontrollieren. Ihr Körper handelt selbstständig, und der Wolf in ihnen übernimmt die Kontrolle. »Beruhige dich, Calin, sofort!« Raphael sieht ihm ernst in die Augen, er weiß, was gerade in Calin los ist. Doch Calin denkt gar nicht daran, Davud steht auf und unterstützt Raphael bei dem Versuch, seinen Rudelführer unter Kontrolle zu halten. Er scheint auch ohne Raphaels Gabe zu spüren, wie kurz das Ganze davor ist zu eskalieren. Normalerweise ist Davud derjenige unter ihnen, der keine Gelegenheit für einen guten Kampf auslässt, Streit provoziert, doch selbst er scheint zu wissen, dass dies hier keine harmlose Auseinandersetzung mehr ist und was für Konsequenzen es hat, wenn es eskaliert.

Auch das restliche Rudel erhebt sich. Davud drückt Calin nach draußen. Calin ist mittlerweile so aufgebracht, dass er ihn und Raphael ohne Probleme zur Seite schieben könnte, doch sein letztes bisschen Verstand, das noch arbeitet, lässt widerwillig zu, dass er hinausgeschoben wird. »CALIN!« Kurz bevor sie zur Tür hinaus sind, erhebt Gabriel noch einmal das Wort. »Findet heraus, was es mit den beiden auf sich hat, wir treffen uns bald wieder, um die Ergebnisse zusammenzutragen, auch ich werde recherchieren. Dazu werde ich euch alle genau im Auge behalten! Du bist zum Anführer des Rudels geboren worden, und du, Vladan, bist der Anführer des Zirkels, also handelt auch danach und nicht nach persönlichen Emotionen. Denkt auch an die Konsequenzen bei eurem Verhalten. An alle Konsequenzen! Wenn ein Mensch, der nicht direkt dazugehört, von unserer Existenz erfährt, durch eure Fehler, müssen wir ihn beseitigen. Die Geheimhaltung unserer Arten steht über allem.«

Calin wendet sich zu ihm um, er reißt Raphaels Arm von sich, nur Davud hält ihn noch zurück, und Tolja tritt nun ebenfalls dazu. Er sieht Gabriel ins Gesicht, er wünschte sich, ihm in seine verfluchten Augen sehen zu können, damit er weiß, wie todernst es Calin ist. »Es ist mir scheißegal, was alles dagegen spricht, wer es wagt, sie anzufassen, oder auch nur in ihre Nähe kommt, muss sich vor mir dafür verantworten. Ich liebe sie, ob sie meine Seelenverwandte ist oder nicht. KEINER fasst sie an!« Calin verwandelt sich, seine Wut ist zu stark, doch anstatt jemanden anzugreifen – was sein erster Gedanke war –, will er nur noch hier raus.

Er weiß ganz genau, dass er das Raphael zu verdanken hat, und letztlich ist es wahrscheinlich auch besser so, denn er kann in diesem Moment für nichts garantieren. »Überlege dir, was du tust, Calin, und was du dafür riskierst!«, dröhnt Gabriels Stimme ihm hinterher. Er spürt sein Rudel hinter sich, er spürt ihre unterschiedlichen Gefühle, Sorge, Wut, auch Verwunderung, die sicher daher kommt, dass Calin seine Liebe zu Saphira so offen vor allen zugegeben hat. Sie alle kennen seine Gefühle, doch dass er es so offen vor allen ausspricht, hätte wohl niemand von ihnen erwartet. In dem Augenblick war Calin alles andere egal, er meinte noch nie etwas ernster.

Er sollte sich abreagieren, mit seinem Rudel besprechen, doch sein Weg führt ihn direkt zum Haus von Saphira. Als das restliche Rudel das bemerkt, kehren sie um und lassen ihren Anführer seine eigenen Wege gehen. Kurz vor ihrem Haus verwandelt sich Calin wieder zurück, es ist schon alles dunkel im Haus. Er stellt sich direkt unter Saphiras Balkon. Er sieht sich um, dann greift er das Regenrohr direkt neben ihrem Balkon, und mit Hilfe einiger abstehender Mauersteine der Außenfassade gelangt er auf ihren Balkon. Er weiß, dass Vlad so auch schon öfter ins Haus gekommen ist und das Regenrohr stabil genug ist. Als er dann von Saphiras Balkon zu Lunas hinübersieht, fragt er sich, wie Vlad ihr diesen Sprung erklärt.

Für jemanden von ihnen ist dies kein Problem, aber Luna sollte sich schon wundern wie Vlad das schafft. Er klopft an die Balkontür, es muss sicher schon nach Mitternacht sein. Als es im Zimmer weiter still bleibt, überlegt er schon, trotz seiner Sehnsucht nach Saphira wieder zu verschwinden, als er leise Schritte hört. Saphira öffnet verschlafen den Vorhang und schreit kurz erschrocken auf. Wäre Calin nicht noch immer so wütend, müsste er sicher über ihren Gesichtsausdruck lachen, er bedeutet ihr, ruhig zu sein. Nach ihrem ersten kurzen Schrecken wechselt ihr Gesichtsausdruck von verwundert zu freudig, und sie öffnet die Tür.

»Was machst ...«, weiter kommt sie nicht. Als er sie vor sich hat, in ihre blauen Augen sieht und ihren Geruch um sich hat, schnüren ihm die Worte von Gabriel und Vladan die Brust noch mehr zu. Er zieht sie fest in seine Arme. Er wird nicht zulassen, dass einer in ihre Nähe kommt, niemals! Saphira ist noch schlaftrunken, doch sie kuschelt sich an ihn, sie scheint zu spüren, dass etwas nicht stimmt. Calin merkt, dass er vor Wut noch leicht zittert, und probiert, seinen Atem wieder unter Kontrolle zu bekommen, indem er seine Nase in ihren Haaren vergräbt und ihren Duft tief einzieht. Saphira hebt vorsichtig ihren Kopf und sieht ihn fragend an.

»Was ist los? Ist etwas passiert?« Calin lächelt matt und nimmt ihr Gesicht in seine Hände. »Nein, ich wollte dir nur zeigen, dass ich mich nicht wieder von dir fernhalte. Ich musste die ganze Zeit an dich denken.« Saphiras Augen fangen an zu strahlen, obwohl sie gähnt.

»Das ist lieb.« Calin bringt sie zum Bett. »Hast du was dagegen, wenn ich etwas hierbleibe, ich will dich einfach bei mir haben.« Saphira sieht ihn immer verwunderter an, doch schüttelt den Kopf. »Nein, du kannst gerne bleiben.«

Calin spürt, wie fertig er ist, auch wenn er es normalerweise gewohnt ist, nur wenige Stunden zu schlafen. Einen kleinen Augenblick bleibt Saphira vor dem Bett stehen und scheint nicht so recht zu wissen, was sie tun soll, doch Calin öffnet seine Arme, und sie kommt seiner unausgesprochenen Einladung nach und legt ihren Kopf auf seine Brust. Sie zieht tief die Luft ein. »Das ist schön, dass du hier bist, auch wenn ich weiß, dass ich träume, aber ist nicht so schlimm. Es ist ein schöner Traum ...« Ihre Stimme wird immer leiser, und Calin lacht, während er ihre langen weichen Haare durch seine Finger gleiten lässt. Noch einmal hebt sie leicht ihren Kopf und sieht ihn an.

Offenbar denkt seine Süße wirklich, sie träumt, er stupst ihre feine Nase vorsichtig mit seiner an und umfasst ihren Nacken, bevor er ihr einen langen zärtlichen Kuss gibt. Als er es schafft, sich von ihr zu lösen, was ihm allerdings sehr schwerfällt, seufzt sie leise zufrieden auf und kuschelt sich wieder enger an ihn. Keine zwei Minuten später hört er ihrem gleichmäßigen Atem beim Schlafen zu.

Während er diesem lauscht, überlegt er, wie es weitergehen soll. Wie kann er sie am besten vor allen schützen? Er kann nicht rund um die Uhr bei ihr sein, und er bezweifelt, dass sie, auch wenn er sie noch mal darum bitten wird, auf ihn hören und sich von allein nicht den Blutsaugern nähern wird. Sie hat keine Ahnung, was für eine Gefahr sie sind. Noch immer kocht es innerlich in ihm. Zu Saphiras Schutz würde er es sogar riskieren, das Abkommen zu brechen und sie einzuweihen, nur damit sie begreift, wie gefährlich Vladan und sein Zirkel sind. Dann müsste er ihr allerdings auch erklären, was er und sein Clan sind. Wie würde sie wohl reagieren, wenn sie wüsste, dass sie gerade mit einem Mann das Bett teilt, der in der Lage ist ein Wolf zu werden? Calin verwirft den Gedanken schnell wieder.

Er streicht ihre langen Haare zur Seite und betrachtet ihr unfassbar schönes Gesicht. Er sieht zu ihren schmalen Schultern, als ihn auf einmal ein leichtes Glänzen irritiert. Er beugt sich etwas vor. Auf ihrem Schulterblatt ist ein kleines Mal. Es sieht aus wie ein Muttermal und hat die Form eines Mondes. Durch die nicht mehr vom Vorhang verdeckte Glasfront ihres Fensters scheint der Mond ins Zimmer, und in seinem Licht wirkt es fast so, als würde dieses Muttermal glitzern. Calins Atem geht schneller, er streicht mit seinem Daumen über das Mal, vielleicht stammt das Glitzern von dem komischen Frauen-Make-up-Zeug, doch es lässt sich nicht entfernen. Es gehört zu ihr, Gabriels Worte kommen ihm wieder ins Gedächtnis, dass etwas mit diesen beiden Schwestern nicht stimmen kann, und er sieht ihr ins Gesicht, bevor er sie fest in seine Arme schließt.

Er muss herausfinden, was mit Saphira und Luna los ist, aber egal was ist, er wird nicht zulassen, dass ihr jemand zu nahe kommt. Niemals!

Ein paar Stunden später öffnet Calin seine Augen mühevoll, er ist zwar immer wieder eingeschlafen, doch nur so leicht, dass er alles um sich herum mitbekommen hat. Als Saphira jetzt anfängt, sich in seinen Armen hin und her zu bewegen und wach wird, bemerkt er es sofort. Wieder blicken ihn die schönsten blauen Augen verwundert an, und er kann sich vorstellen, nie wieder was anderes sehen zu wollen. »Du bist wirklich da. Ich habe nicht geträumt.« Sie beugt sich nach oben und gibt ihm einen leichten Kuss auf den Mund, und gerade als er diesen vertiefen will, springt sie panisch auf.

»Mein Vater hat dich sicher gesehen!« Sie sieht zur Uhr. »Er musste doch heute früher los, um seinen Flug zu bekommen, du weißt doch, die Schulung, wo er und zwei andere Mitarbeiter dran teilnehmen. Er war sicher noch mal nach mir schauen.« Calin lehnt sich entspannt zurück und verschränkt die Arme hinterm Kopf, während er belustigt beobachtet, wie Saphira orientierungslos zu ihrem Schrank geht. »Luna wird sicher auch bald wach sein.« Calin betrachtet Saphira. Da sie nur kurze Shorts trägt, sieht er ihre langen schlanken Beine zum ersten Mal richtig vor sich. Sie bemerkt seinen Blick und zieht eine Augenbraue nach oben, doch bevor sie sich beschweren kann, steigt Calin schnell aus dem Bett, schnappt sie sich und befördert sie beide wieder hinein.

»Dein Vater ist schon lange los. Er hat noch mal reingeschaut, und ich bin schnell ins Bad verschwunden, bevor er mich entdecken konnte. Obwohl ich nicht glaube, dass er etwas dagegen hätte, er weiß, dass ich gut auf dich aufpasse!« Saphira wirkt etwas erleichtert und legt ihre Stirn an seine. »Ich weiß ehrlich nicht, wie er das finden würde, ich kenne meinen Vater dafür noch zu wenig ... leider.« Calin nickt und streichelt über Saphiras Wange, ihre Schönheit raubt ihm wirklich fast den Atem. »Luna und Vlad schlafen auch nicht mehr, ich habe Luna vorhin im Bad getroffen.«

Saphira sieht ihn geschockt an, sie wusste scheinbar nichts von Vlads besuchen. »Lass die beiden, so muss Vlad sich wenigstens nicht wieder hinausschleichen, sondern wir können zusammen frühstücken, heute Abend ist doch euer DVD-Nachmittag mit Sora und den anderen, oder?« Saphira nickt, offenbar hat sie die Information, dass Vlad schon seit ein paar Tagen hier öfter übernachtet, noch nicht ganz verdaut. Calin nähert sich ihren Lippen. »Ich weiß nicht, wieso du so schockiert bist, ich hatte auch vor, das eine oder andere Mal hier vorbeizuschauen.«

Saphira lächelt und streichelt über seine Wange. »Hattest du das, ja? Hmm, mal sehen, überzeuge mich, dass ich dir die Balkontür öffne!« Er beginnt einen Kuss, und Saphira rückt ganz auf seinen Schoß. Calin kann nicht genug von ihr bekommen, schnell wird ihr Kuss intensiver. Auch Saphira ist ganz außer Atem, als er den Kuss löst und beginnt, mit seinen Lippen ihren Hals entlangzufahren. Seine Hände gleiten langsam unter ihr Top. Calin hatte schon so einige Frauen in seinen Armen, aber er spürt, wie schnell sein Herz schlägt. Zum ersten Mal hat er Angst, es könnte ihr zu schnell gehen, er könnte sie verschrecken. Also tastet er sich langsam vor, wartet ihre Reaktion ab, doch sie schließt die Augen und genießt seine Berührungen. Er will sie noch mehr verwöhnen, und mit einer schnellen Bewegung ändert er ihre Position, so dass sie unter ihm liegt. Doch genau in diesem Moment zuckt Saphira zusammen und hält sich erschrocken die Hände vor das Gesicht.

Calin weicht zurück, und sie nimmt schnell die Hände wieder runter. »Entschuldige, aber das gerade war nur so ... es tut mir leid, es geht schon wieder.« Sie lächelt entschuldigend, aber er sieht in ihren Augen, dass sie noch immer erschrocken ist. »Was ist? War das zu schnell? Ich wollte dich nicht drängen ...« Saphira schüttelt den Kopf und will gerade etwas erklären, als es an der Tür klopft. Vlad, der sie bittet herunterzukommen. »Mein Engel hat Frühstück gemacht, es gibt Pancakes.« Man hört, dass der Witzbold Vlad die Situation, dass sie nun alle zu viert hier sind, äußerst amüsant findet, und Saphira gibt Calin noch einen liebevollen Kuss auf den Mund. »Lass uns frühstücken.«

Luna und Vlad scheint das Ganze überhaupt nicht komisch vorzukommen. Auch Calin findet nichts dabei, dass sie alle zusammen frühstücken, nur Saphira muss sich wohl noch etwas an den Gedanken gewöhnen und sieht immer wieder misstrauisch zu Luna, die auf Vlads Schoß sitzt und Saphiras Blick gekonnt aus dem Weg geht. Sie reden über den DVD-Abend der Frauen. Vlad will die beiden überreden, ihn daran teilnehmen zu lassen. Calin grübelt vor sich hin. Das Mal, ihr süßer Duft, warum ist sie so zusammengeschreckt? Er weiß, dass er mehr über Saphira und Luna herausbekommen muss, bevor es andere tun. Ihm kommt eine Idee. »Und für morgen Abend seid ihr auch schon verplant! Wir grillen bei uns im Garten. Das wird immer sehr gemütlich, es wird ein kleines Lagerfeuer gemacht, und wir essen Marshmallows, während die Älteren alte Geschichten von unserem Clan erzählen, was denkt ihr?«

Luna nickt begeistert, während Vlad eine Augenbraue hochzieht. Er weiß, dass so etwas gar nicht geplant ist, es gibt solche Treffen manchmal, aber daran nehmen nur das jetzige Rudel und die ältere Generation des vorherigen Rudels teil. Saphira setzt sich auf Calins Schoß und gibt ihm einen Kuss auf die Wange. »Ich denke, das ist eine gute Idee, ich liebe Marshmallows.« Calin beißt von dem Brötchen ab, das sie ihm hinhält, und zieht sie enger an sich, sein Herz schnürt sich wieder ein Stück enger zu. Er wird morgen alles herausbekommen, damit es kein anderer tut. Es muss klappen, damit er ganz sicher weiß, wie genau er Saphira schützen kann.

# Kapitel 10

Nachdem Calin und Vlad zur Werkstatt aufgebrochen sind, erledigen Saphira und Luna noch einige Sachen im Haushalt. Saphira nutzt gleich die Gelegenheit und fragt Luna aus, wie intensiv ihre Beziehung zu Vlad mittlerweile schon ist. Luna ist 16, selbst wenn sie und Vlad sich schon viel näher gekommen sind, spricht nichts dagegen. Saphira würde es nur gerne wissen, als Schwester und beste Freundin. Luna erzählt ihr mit leuchtenden Augen, dass sie zwar noch nicht miteinander geschlafen haben, sich aber ansonsten schon sehr nahe gekommen sind. Luna liebt Vlad, und sie glaubt auch nicht, dass es noch lange dauern wird, bis sie den letzten Schritt machen. Luna strahlt ihr Glück förmlich aus. Als sie nach Calin fragt, winkt Saphira ab und wechselt schnell das Thema. Sie ist auch glücklich, verliebt, doch es ist noch sehr frisch, und Saphira will sich erst viel sicherer sein, bevor sie sich da so hineinsteigert. Saphira muss an den Morgen denken, es hat sich so gut angefühlt, Calin näherzukommen. Sie hat seine Berührungen und seine Nähe genossen, doch sie konnte es trotzdem nicht verhindern, dass sie die Vergangenheit eingeholt hat.

Sie hatte seit dem Tag vor über einem halben Jahr immer Panik davor, ob das passieren würde, sie verdrängt es, so gut es geht, anscheinend ist diese körperliche Nähe doch etwas zu viel gewesen. Bevor sie die schrecklichen Bilder von diesem Abend wieder einholen können, lenkt sie ihre Gedanken schnell auf die gerade von ihr ausgeübte Arbeit.

Am frühen Abend machen sie sich auf den Weg zum Haus von Sora und Vlad. Es befindet sich nicht weit weg von ihrem, also laufen sie die paar Minuten in der kühlen Abendluft. Als sie ankommen, erfahren sie, dass die anderen, Alicia, Snejana und Liliana, leider nicht kommen können. Alicia, die im fünften Monat schwanger ist, hat mit Übelkeit zu kämpfen, und Snejana leistet ihr sicherheitshalber Gesellschaft. Liliana hat die Nachtschicht in der Bar, in der sie arbeitet, aufgedrückt bekommen.

Sie beschließen, den DVD-Abend trotzdem stattfinden zu lassen, und machen es sich gemütlich. Sora hat wirklich an fast alles gedacht. Neben Popcorn und Chips gibt es leckere kleine Canapés. Bevor sie anfangen die DVDs zu sehen, unterhalten sie sich eine ganze Weile. Saphira hält sich etwas zurück, sie weiß, dass Luna aufgeregt ist, weil Sora Vlads Zwillingsschwester ist, und ihr ist klar, wie nah die beiden sich stehen. Es ist ihr wichtig, dass sie sich verstehen, doch bei der hübschen Sora wird das nicht schwierig sein. Sie hat eine so offene und herzliche Art, dass man sie einfach sofort ins Herz schließen muss. Als sie ihnen dann alte Fotos zeigt, auf denen Vlad, aber auch die anderen Männer, auch ihr Calin, als kleine freche Jungs zu sehen sind, kommen sie alle nicht mehr aus dem Lachen heraus. Besonders weil Sora jede Peinlichkeit erzählt, die zum Entstehen der verschiedenen lustigen Bilder geführt hat.

Sie quatschen so lange, dass sie anschließend nur noch einen Liebesfilm schaffen, doch so findet Saphira es eh angenehmer. Als sie aufbrechen, ist es schon weit nach Mitternacht. Vlad hat zwischendurch angerufen und zu Saphiras Verwunderung auch Calin, um sich zu erkundigen, ob alles in Ordnung ist. Sie haben wohl noch einiges zu tun. Sora zieht sich eine Jacke über und begleitet Saphira und Luna nach Hause. Als Luna etwas besorgt nachfragt, ob es nicht schon zu spät ist, um alleine zurückzulaufen, winkt Sora ab und erklärt, dass es hier in diesem Gebiet nachts ziemlich sicher ist. Auch auf diesem kleinen Stück Gehweg zwischen ihren Häusern kommen sie aus dem Lachen kaum heraus, und als sie sich verabschieden, beschließen sie, so einen Abend so schnell wie möglich zu wiederholen.

Dorian versucht seinen Atem zu beruhigen, das ist ihm noch nie passiert. Er steht hinter einem Baum und beobachtet, wie sich die hübsche junge Frau von Saphira und Luna verabschiedet. So sehr er sich an dem Abend, an dem er sie das erste Mal in ihrem Haus beobachtet hat, geschworen hat, die Gedanken an Sora zu unterlassen, er konnte es nicht einhalten. Jede Nacht versucht er, wenigstens einen kurzen Blick auf sie zu werfen. Es ist ziemlich schwer, die Hunde bewachen ihr Gebiet wirklich gut. Doch er hat es immer geschafft, meistens kurz vor Sonnenaufgang, wenn die Hunde langsam aufgeben. Er hat sie beim Schlafen beobachtet. Sie fasziniert ihn, er weiß nicht, was es genau ist, aber er kann seinen Blick kaum von ihr losreißen. Einmal ist er deswegen sogar so knapp vor Sonnenaufgang erst ins Schloss zurückgekehrt, dass ihm Vladan eine Strafpredigt gehalten hat. Auch verpasst er nun das gemeinsame Essen, doch es scheinen eh alle zu spüren, dass er durcheinander ist, zum Glück spricht ihn jedoch keiner darauf an. Heute Nacht wollte er sich eigentlich mit Lucian in der Bar treffen.

Er muss wieder Blut zu sich nehmen, er wollte nur kurz sehen, ob er Glück hat und einen Blick auf Sora werfen kann, wenn sie wach ist. Sobald er ihrem Haus näher gekommen ist, hat er den Duft von Saphiras und Lunas Blut aufgeschnappt. Auch wenn er es jetzt schon des Öfteren gerochen hat, haut es einen im ersten Moment noch immer um. Sein Magen schreit danach, alles drängt ihn, einen Schluck zu probieren, doch schon nach ein paar Minuten fängt er sich wieder. Er kann sich gut vorstellen, dass man sich daran gewöhnen kann, wenn man dem öfter ausgesetzt ist. Den Duft genießen kann, ohne diesen schrecklichen Drang, etwas davon zu kosten.

Dorian spürt, dass er vielleicht eine gute Chance hat, Sora von näherem zu sehen, er versteckt sich in den Wäldern. Die Hunde sind immer in der Nähe, und er muss darauf achten, weit genug von ihnen entfernt zu bleiben, aber noch nah genug zu sein, um mitzubekommen, ob die drei Frauen das Haus verlassen, was ihm nur aufgrund seiner ausgeprägten Sinne gelingt. Dorian hat Glück, kurz bevor die drei das Haus verlassen, entfernen sich die Hunde, wahrscheinlich um noch einmal die andere Seite der Stadt abzulaufen. Er nähert sich und beobachtet, wie die drei Frauen lachend zu einem Haus gehen, in dem offensichtlich Luna und Saphira wohnen.

Er liebt es, wie Sora lacht, es klingt so lebendig, so natürlich. Es gibt so viel, was er über sie in Erfahrung bringen will. Doch als sie jetzt den Heimweg antritt, weiß er nicht, wie er es anstellen soll, einmal ins Gespräch mit ihr zu kommen. Er ist ein Vampir, er ist athletisch, hat übersinnliche Kräfte, doch diese junge Frau bringt ihn so außer Fassung, dass er auf mehrere Äste tritt und sich Sora erschrocken zu dem Wald wendet, in dem er neben ihr herläuft.

Schnell wechselt ihr Gesichtsausdruck von erschrocken zu sauer, und sie stemmt die Hände in ihre zarte Taille. »Vlad, Calin! Wer von euch schnüffelt seiner Freundin hinterher?« Dorian muss lächeln, er sollte verschwinden, er sollte diesem Yasus-Mädchen nicht hinterherspionieren. Doch er wird so eine Chance nicht noch einmal bekommen. Von den Hunden ist nichts zu sehen, es ist niemand auf der Straße, also atmet Dorian einmal tief durch und tritt aus dem Wald heraus.

Er hat sich keine Gedanken darüber gemacht, wie sie reagieren wird, er hat das so spontan entschieden, dass er keine Zeit hatte darüber nachzudenken, wie sie auf sein Erscheinen reagieren würde. Doch als sie panisch zurückweicht, versetzt es ihm einen Stich. Er hebt beruhigend die Hände, doch ihr Atem geht keuchend, und sie sieht sich hilfesuchend um. Dorian muss schnell handeln, bevor sie noch anfängt zu schreien. »Keine Angst, ich tue dir nichts. Ich bin Dorian, wir haben uns schon einmal gesehen«, versucht er sie zu beruhigen. Doch wenn er in ihr immer weißer werdendes Gesicht und auf ihre zitternden Hände schaut, scheint es nicht sonderlich zu wirken.

Sie erscheint wie in einem Schockzustand, weshalb sie wohl so bewegungslos dasteht und ihn anstarrt. »Ich tue dir wirklich nichts«, erklärt Dorian noch einmal ruhig und kommt langsam näher auf sie zu. Er weiß, dass seine Stimme auf Frauen äußerst anziehend wirkt, doch irgendwie wirkt es ausgerechnet bei diesem Yasus-Mädchen nicht.

»Ich weiß, wer du bist, bleib weg! Mein Bruder ... Calin, sie werden jeden Moment hier sein, ich weiß, dass du einer von ihnen bist!« Der erste Schock scheint langsam zu verfliegen. Auch wenn sie noch immer zittert, hat sie dennoch die Kraft und den Mut, die letzten Worte voller Hass herauszupressen. Dorian zieht die Augenbrauen hoch, einer von denen ... dass sie zu einem Haufen Hunden gehört, scheint sie dabei zu verdrängen. »Hör mal, wie gesagt, ich tue dir nichts. Ich weiß, dass du sicherlich denkst, wir wären ... so etwas wie

Monster. Ich kann mir vorstellen, dass dir das dein Leben lang eingetrichtert wurde, aber ich kann dir versichern, es ist nicht so.«

Sora antwortet erst nicht, sie wirkt noch immer nicht ganz sicher, wie sie mit dieser Situation umgehen soll. Doch Dorian bemerkt auch in ihrem Blick, mit dem sie wachsam jede seiner Bewegungen beobachtet, die wachsende Neugier. Sie sieht ihm direkt in die Augen. Sora gehört zwar zum Stamm der Yasus, ist aber kein Teil des Rudels, somit kein Mythenwesen und kann die schwarzen Augen der Vampire nicht erkennen. Für sie sind diese einfach nur sehr dunkelbraun, und Dorian ist darüber zum ersten Mal glücklich. Normalerweise ist es ihm immer egal gewesen, aber er will nicht, dass Sora seine schwarzen Augen sieht, die dafür stehen, dass er unsterblich ist. Nicht diese so lebendige, schöne Yasus-Frau mit den wachsamen grünen Augen.

»Und wieso bist du dann hier, wenn du niemandem etwas tun willst? Hier dürft ihr doch gar nicht sein!« Dorian steht nur noch ein paar Schritte von ihr entfernt, doch er will sein Glück nicht überstrapazieren und hält diese Distanz ein. »Ich war gerade in der Nähe und habe euch lachen gehört. Ich habe Saphira erkannt und wollte nur mal nachsehen, ob es ihr gut geht. Seit dem Abend haben wir sie nicht mehr gesehen.« Dorian spielt bewusst die Karte aus, dass Saphira ihnen vertraut, und offensichtlich ist Sora eine Freundin von ihr.

»Ja, ich weiß, Saphira hat gesagt, dass ihr alle sehr nett zu ihr wart, sie ist aber jetzt schon zu Hause, und ich denke, du weißt, dass es keine gute Idee ist, hier zu sein.« Soras erste Panik ist verflogen, auch wenn sie ihn noch misstrauisch ansieht. Jedoch scheint sie nicht die Befürchtung zu haben, dass er ihr etwas antun will. »Ich wollte gerade in die Stadt, mir ein paar Quentin-Tarantino-DVDs ausleihen. Wollte mich darauf einstimmen, dass nächste Woche der neue Film rauskommt.« Sora sieht ihn verwundert an, natürlich hat er mitbekommen, dass sie die Filme von Quentin Tarantino geradezu verschlingt, die DVD-Hüllen auf ihrem Schreibtisch haben es ihm verraten. »Du magst Quentin Tarantino? Das ist selten, ich liebe seine Filme, aber die meisten mögen ihn nicht so gerne. Ich will mir den Film auch angucken, sobald er herauskommt. Habe mir schon jetzt eine Karte reserviert, zwar alleine, da sonst niemand den Film sehen will, aber so bleiben einem wenigstens komische Sprüche erspart.«

Sie scheint ganz vergessen zu haben, wen sie hier vor sich hat, doch als sie ihren Satz beendet hat, ändert sich das wieder, und ihr Blick wird wieder misstrauisch. Dorian ist nicht so dumm, sie zu fragen, ob sie sich den Film zusammen ansehen wollen, er weiß genau, dass sie das nie machen würde, aber er hat zumindest ein paar gute Informationen erhalten. »Okay, dann wünsche ich dir viel Spaß dabei ... wie heißt du eigentlich?« Dorian muss sich ein Grinsen schwer verkneifen über Soras überforderten Gesichtsausdruck. Er kann sich gut vorstellen, dass es sie sehr viel Überwindung kostet, ihren ständig eingeprägten Hass gegenüber dem Zirkel zu vergessen und Dorian als jemand anderen zu sehen, doch es freut ihn umso mehr, als sie es schließlich doch tut.

»Sora«, gibt sie leise zu und beißt sich leicht auf die Lippe, als bereue sie diesen Schritt augenblicklich wieder. »Ein schöner Name, ich werde dann mal losgehen, Sora, es war schön, dich wiederzusehen.« Sie nickt, doch geht nicht weg, sondern sieht ihm zu, wie er zurück in den Wald verschwindet. Er weiß, dass sie ihm noch nicht genug traut, um ihm den Rücken zuzukehren. Doch Dorian erwischt sich auf dem Weg zur nächsten Stadt – wo Lucian sicher schon stinksauer wartet – selbst dabei, wie er sich wie ein kleines Kind über diesen, wenn auch sehr kleinen, ersten Schritt freut.

Saphira hat noch lange, nachdem sie sich von Sora verabschiedet haben, auf Calin gewartet. Doch als um 3 Uhr morgens weder er noch Vlad aufgetaucht sind, ist sie müde ins Bett gegangen. Sie waren ja nicht verabredet, aber sie hatte gehofft, er würde noch vorbeikommen. Sie fragt sich, was er und die anderen in der Nacht so lange machen, ob sie wirklich so lange noch in der Werkstatt arbeiten. Aber sie hat doch selbst oft genug gesehen, wie Calin kurz nach Sonnenuntergang die Werkstatt schließt. Vielleicht geht er nur etwas essen und arbeitet anschließend weiter. Sie merkt, dass sie noch so einiges in Erfahrung bringen muss, was Calin betrifft. Irgendwann, nachdem sie schon fest eingeschlafen ist, registriert sie ihn dann. Sie spürt, wie er sich zu ihr legt und sie behutsam in seine Arme nimmt. Doch sie schläft schon zu fest, so dass sie sich nur wohlig an ihn schmiegt und weiterschläft.

Am nächsten Morgen, als sie wach wird, sieht sie als Erstes in Calins friedlich schlummerndes Gesicht. Sie muss lächeln und gibt ihm einen leichten Kuss auf die Wange. Sie sieht zur Uhr und bemerkt, dass es schon Mittag ist. Wenn sie mal ein ganzes Wochenende frei hat, nutzt sie das gleich aus, um richtig auszuschlafen. Sie überlegt, Calin aufzuwecken, fährt vorsichtig mit ihren Fingern seine schönen Lippen nach, doch wer weiß, wann er gestern erst gekommen ist, sie sollte ihn schlafen lassen. Er umfasst sie mit dem linken Arm, und jetzt hat sie die Gelegenheit, seine Tätowierung darauf zu betrachten. Auch bei Vlad und Davud ist ihr dieses Motiv schon aufgefallen. Sie findet den Gedanken schön, dass sie sich alle die gleiche Tätowierung haben stechen lassen. Ihr fester Zusammenhalt ist nicht übersehbar.

Es sind viele Zeichen, die ineinander verschlungen sind. Saphira findet sie sehr interessant und würde gerne wissen, was sie bedeuten. Calin hat sich das Shirt und die Hose ausgezogen, als er zu ihr ins Bett gekommen ist, und liegt nun nur in Boxershorts neben ihr. Er ist ein schöner Mann. Sie fährt mit den Fingerspitzen seine Brust ab und bemerkt auf der rechten Seite auch eine längere Narbe, die genau wie die an seinem Auge auf einen tiefen Schnitt schließen lässt. Irgendetwas muss ihm passiert sein. Saphira will ihre Erkundungstour fortsetzen, sie könnte Calin ewig so ansehen, doch ihr Magen meldet sich, und sie will Calin schlafen lassen, also geht sie in die Küche hinunter.

Es dauert wirklich noch zwei Stunden, bis Vlad und Calin ebenfalls zu Saphira und Luna nach unten stoßen. Da es zwar draußen wieder geschneit hat, die Sonne aber trotzdem scheint, gehen sie anschließend zusammen spazieren, und der Nachmittag wird großartig.

Saphira hat es sich, als sie kleiner war, genauso schön vorgestellt. Luna mit ihrem Freund, sie mit so einem tollen Mann. Sie kann nicht genug von Calin bekommen und er anscheinend auch nicht von ihr. Kaum eine Minute lässt er seine Finger von ihr, umarmt sie, wärmt ihre Nase mit seiner, hält ihre Hand fest in seiner großen. Saphira ist glücklich, als sie zusammen herumalbern und so weit laufen, dass sie zu dem See kommen, an dem sie und Calin schon mehrere Stunden verbracht haben. Er ist zugefroren. Calin und Vlad ziehen ihre Freundinnen aufs Eis, wo sie wie kleine Kinder herumschlittern. Saphira weiß nicht, wann sie das letzte Mal so viel gelacht hat. Als sie sich erst viel später, zwar durchgefroren, aber zufrieden, auf den Weg zurück zu ihrem Haus machen, dämmert es schon, und Saphira schmiegt sich an Calin. Sie ist wirklich glücklich. Anstatt ins Haus zu gehen, um etwas zu essen und sich aufzuwärmen, verfrachten sie die Männer direkt in Calins Monster-Jeep. Saphira hat ganz vergessen, dass sie ja heute zu dem Grillabend bei Calin zu Hause eingeladen sind. Der Gedanke, jetzt an einem warmen Lagerfeuer zu sitzen und sich den Bauch vollzuschlagen, lässt ihr Herz schneller schlagen, sie hatte unrecht, es ist doch ganz schön hier in Barnar.

Als sie bei Calin ankommen, scheinen alle nur auf ihr Eintreffen gewartet zu haben, denn der Grill, der wegen des Schnees auf der Veranda steht, ist schon reichlich belegt, und das Lagerfeuer knistert im Garten vor sich hin. Luna und Saphira werfen sich kurz einen fragenden Blick zu, denn neben ihnen ist keine weibliche Person anwesend, außer Adina, die hin und wieder etwas aus der Küche bringt, sich sonst aber in das Haus zurückzieht. Neben den ganzen Männern Davud, Cesar, Tolja, Radu und Luca, die immer in der Werkstatt sind und die Saphira nun schon gut kennt, sind auch Calins Vater Ovid und vier andere, etwas ältere Männer da. Sie werden Saphira und Luna nacheinander vorgestellt, und diese erfahren, dass diese Männer den Ältestenrat des gesamten Yasus-Clans ausmachen. Saphira und Luna setzen sich auf die Campingstühle ans Lagerfeuer, und Calin und Vlad bringen ihnen Teller mit Unmengen von Essen drauf.

Der Abend beginnt lustig, die Jungs albern unter den manchmal amüsierten, manchmal mahnenden Blicken der Älteren herum, und Saphira genießt das warme Feuer und die humorvolle Stimmung. Als alle fertig gegessen haben, breitet sich langsam eine etwas gemütlichere Stimmung aus. Die Männer nehmen sich alle ein Bier, einige halten Stöcke mit Marshmallows ins Feuer, während einer der Ältesten mit seiner dunklen und tiefen Stimme anfängt, einige alte Legenden über den Yasus-Clan zu erzählen. Saphira hängt ihm förmlich an den Lippen. Die dunkle Nacht, das Lagerfeuer, welches sein Gesicht beleuchtet, und die Art, wie er erzählt, bannen sie. Zudem findet sie es sehr spannend, mal andere Geschichten zu hören, nicht nur die, die über ihre eigene Familie erzählt werden.

Doch wenn Saphira ihre Geschichte schon etwas abgehoben und weit hergeholt findet, so stellt sie fest, dass ihre Familie nicht die einzige ist, die solche Märchen von sich zu erzählen hat. Der ältere Mann schildert, dass es seit vielen Hunderten von Jahren ein Gen gibt, das alle männlichen Clanmitglieder in sich tragen. Mit Hilfe eines bestimmten Rituals können diese ausgewählten starken Männer dann in eine Art Menschenwolf verwandelt werden, der über ausgeprägte Sinne und enorme Stärke verfügt und sich in jeder Nacht in einen Wolf verwandelt, um den Rest des Stammes vor den Untoten zu beschützen.

So spannend sich die Geschichte anhört, besonders als er von Hanekan, dem ersten männlichen Wolf des Yasus-Clans, und seinem Leidensweg erzählt, bis er verstanden und akzeptiert hat, was da mit ihm passiert ist, muss sich Saphira doch an der einen oder anderen Stelle zusammenreißen, nicht loszulachen. Vor allem, als sie die Gesichter der anderen beobachtet, die genauso gespannt und fasziniert seinen Worten lauschen, selbst Lunas Augen sind weit geöffnet. Ist sie die Einzige, die das alles zu abgedreht findet?

Als der Mann seine Erzählung langsam beendet, lächelt Luna, und ohne darüber nachzudenken, wendet sie sich an Saphira. »Siehst du, unsere Familie ist nicht die einzige, in der es solche Legenden gibt.« Saphira will ihr gerade auf Spanisch sagen, dass sie ihre Klappe halten soll, doch sie merkt, wie alle Blicke zu ihnen schnellen, als hätten sie nur darauf gewartet, und Ovid räuspert sich vorsichtig. »Genau, das stimmt ja. Anis hat mal erwähnt, dass es bei euch auch solche Legenden gibt, aber genau beschrieben hat er das damals nicht. Kennt ihr eure Geschichte, die ist bestimmt ebenso spannend?« Luna wirft Saphira einen unsicheren Blick zu, sie erinnert sich an ihren gemeinsamen Beschluss, das hier in Rumänien nicht zu erzählen, um endlich Ruhe davor zu haben.

Aber Saphira ist auch bewusst, dass sie jetzt nicht mehr darum herumkommen. Ganz so abgedreht wie die Geschichte mit den Wölfen und den Untoten ist sie ja nun auch nicht, also nickt sie Luna leicht zu, während sie seufzt und ins Feuer schaut. Sie hasst es, die Geschichte zu hören, die – obwohl es nur eine Legende ist – noch immer einen solchen Einfluss auf das Leben der Frauen ihrer Familie hat. Luna räuspert sich und beginnt zu erzählen.

# Kapitel 11

Luna erzählt die Geschichte von der ersten Tochter des Mondes, so wie sie es selbst sicher schon über 100 Mal gehört haben. Sie erzählt von Esmeralda, ihrer unglücklichen Liebe und wie sie vom Mond gesegnet worden ist. Saphira sieht sich währenddessen prüfend in der versammelten Runde um. Alle scheinen gespannt an Lunas Lippen zu hängen, ein ungutes Gefühl macht sich in Saphira breit.

Sie wollte unbedingt verhindern, dass diese Sagen sie bis hierher verfolgen. In Venezuela haben die Männer diesen Märchen noch immer viel zu viel Glauben geschenkt. Sie selbst empfindet es als eine nette, unterhaltende Geschichte, so wie sie es aus ihren vielen Büchern kennt, doch ist sie viel zu sehr Realist, um an solche Märchen zu glauben. Trotzdem kennt sie nur zu gut die Auswirkungen dieser Sagen auf sich und den Rest der weiblichen Nachkommen ihrer Familie, wenn dem Glauben geschenkt wird.

Sehr viel mehr als diese Geschichte kennen Luna und Saphira auch nicht. Sie wissen aber, dass es darüber noch mehr zu erfahren gibt. Ihre Oma und die Tanten haben sich oft weiter darüber unterhalten, doch die jungen Mädchen wurden dafür meistens aus dem Raum geschickt. Jedoch kennen sie die Auswirkungen dieser Geschichte auf ihr Leben, und als Luna die Geschichte um Esmeralda beendet hat, sehen Saphira und sie sich einen Moment an. Beide müssen an diesen schrecklichen Abend vor einem halben Jahr denken, und Luna steigen die Tränen in die Augen. Saphira ist dankbar, dass sie diese Vorkommnisse nicht erwähnt, und schluckt einmal schwer, bevor sie beide sich wieder an die Männer wenden.

Alle sehen sie an. Saphira spürt genau Calins Blick auf sich und sieht stur ins Feuer, sie hasst es wirklich, mit diesen Legenden konfrontiert zu werden, Angst bildet sich in ihr, davor das ihre Beziehung zu Calin darunter leiden könnte. Der Älteste der Männer, der ihnen als Graham vorgestellt wurde und der auch ihre Legende erzählt hat, räuspert sich.

»Die Töchter des Mondes? Ich habe schon einmal von dieser Legende gehört, ich kann mich daran erinnern. Sie ist eine der vielen Sagen, die durch die Zeit in Vergessenheit geraten sind.« Luna lacht bitter auf: »Bei uns leider nicht.« Graham und Ovid werfen sich einen Blick zu, bevor Ovid die beiden Schwestern anspricht. »Also glaubt ihr nicht an diese Legenden?« Saphira schüttelt mehr als sicher den Kopf. »Natürlich nicht, das sind einfach nur alles alte Geschichten zur Unterhaltung der Leute in den früheren Zeiten. Versteht mich nicht falsch, ich selber mag Geschichten und die Fantasien der Leute. Auch eure Legende finde ich spannend, aber es ist mir unmöglich, daran zu Glauben!« Luna beginnt unruhig auf ihrem Stuhl hin und her zu rutschen. Saphira glaubt kein bisschen an die Sagen um ihre Familie, Luna tut sich da etwas schwerer, und das scheinen die Männer sofort zu bemerken.

»Was denkst du darüber, Luna?« Saphira sieht wieder ins Feuer, wieso sind sie bloß auf dieses Thema gekommen? »Saphira hat recht, ich denke auch, dass es alles nur eine alte Geschichte ist ... aber ein paar Sachen sind schon ... auffällig«, gibt sie zu. »Was genau meinst du?« Ovid lässt nicht locker. »Das sind nur Kleinigkeiten, vielleicht haben sie auch keine Bedeutung, aber beispielsweise haben alle direkten weiblichen Nachkommen von Esmeralda ein Muttermal. Meistens auf der Schulter, und diese Muttermale sehen sich alle sehr ähnlich. Ich weiß, Saphira hat schon recherchiert, das gibt es schon mal in Familien, ich sage ja, das hat vielleicht nichts zu bedeuten, aber es ähnelt sich wirklich bei allen.«

Ovid zieht die Augenbrauen zusammen. »Und ihr habt das alle?« Luna zuckt die Schultern: »Also, die direkten weiblichen Nachkommen ja. Wenn sich das zu sehr mit anderen Familien vermischt, erben die Töchter das Muttermal nicht mehr. Unsere Tanten und deren Töchter, so wie wir, haben es.« Ovid lehnt sich zurück. »Das hört sich sehr interessant an, und sieht es wirklich bei allen gleich aus?« Luna sieht zu Saphira: »Na ja, eigentlich schon, also, bei uns allen ist es ein kleines Mal, was einem Mond ähnelt ... nur ...«, sie sieht unsicher zu Saphira, die am liebsten laut aufseufzen würde, nicht auch noch dieser Blödsinn.

»Nur?« Calin sieht zwischen Saphira und Luna hin und her. Er scheint zu spüren, dass Saphira der Grund ist, warum Luna nicht offen spricht, und nickt ihr auffordernd zu, so dass Luna fortfährt. »Es heißt, dass es in jeder Generation eine Auserwählte gibt, die die Segnung des Mondes in der reinen Form in sich trägt wie Esmeralda. Sie soll alles, womit der Mond die Töchter des Mondes gesegnet hat, in der reinen Ursprungsform haben. Die Schönheit und auch das Muttermal. Es ist etwas größer als das der anderen und auch so etwas auffälliger.«

Lunas Blick wandert automatisch zu Saphira, die spürt, wie sie langsam wütend wird. Saphira ist dafür bekannt, dass ihre Stimmung sehr schnell wechselt, und sie findet es immer unangenehmer, sie kommt sich langsam vor wie bei einem Verhör. »Es gibt auch wirklich immer aus jeder Generation welche, auf die diese Eigenschaften zutreffen. Meine Oma war demnach eine sogenannte Auserwählte, dann die Schwester meiner Mutter, und nun ist es meine Schwester.« Alle blicken zu Saphira, doch was sie noch registriert, verwundert sie. Calin, der neben ihr sitzt, fasst augenblicklich an die Stelle unter ihrem dicken Poncho, an der das Muttermal liegt. Er hat es bereits vorher bemerkt.

»Was wisst ihr noch über eure Legende? Was trifft noch zu?« Ovid wirkt immer beunruhigter, und auch Luna scheint zu merken, dass sie schon viel zu viel erzählt hat. Wenn die Männer hier ebenso an diese Legenden glauben wie die Männer in ihrer Heimat, dann kann das zu einem echten Problem werden. »Wie gesagt, das sind einfach alte Geschichten, man sollte sie nicht zu ernst nehmen«, winkt nun auch sie ab, doch noch immer liegen die Augen der Männer leicht beunruhigt auf den beiden Schwestern. Calin zieht Saphira auf seinen Schoß. Erst als Vlad schließlich aufsteht und noch eine Runde Bier austeilt, lockert sich die angespannte Stimmung wieder leicht auf.

Die Männer beginnen über das Seminar zu sprechen, auf dem der Vater von Luna und Saphira gerade ist und von dem er morgen wieder zurückkehren wird. Als die anderen etwas abgelenkt sind, schiebt Calin Saphiras Haare zur Seite und gibt ihr einen Kuss auf den Nacken. »Wieso umgehst du das Thema?« Saphira wendet sich auf seinem Schoß, so dass sie ihm in seine schönen Augen sehen kann. »Ich glaube nicht daran, und ich will nicht, dass sich irgendetwas ändert.« Calin runzelt leicht die Stirn: »Was sollte das ändern?« Saphira lacht böse auf. »Dass du, dass alle mich plötzlich anders sehen.«

Calin lächelt leicht und legt seine Hand an ihre Wange. »Selbst wenn du die Kaiserin von China wärst, würde das nichts an meinen Gefühlen für dich ändern!«, gibt er zu, und einen Moment sehen sich beide in die Augen, bisher hat keiner dem anderen etwas von Gefühlen gesagt, auch wenn sicherlich beide spüren, dass sie auf der anderen Seite vorhanden sind. Doch bevor Saphira darauf näher eingehen kann, wird Calins Blick plötzlich forschend.

»Siehst du das nicht so? Was wäre, wenn meine Legende stimmen würde?« Damit ist die gerade ernste, knisternde Stimmung dahin, und Saphira fängt an zu lachen. »Wenn du ein Wolf wärst? Ob ich dich dann noch bei mir schlafen lassen würde?« Auch Calin beginnt zu lächeln, aber irgendwie scheint es leicht gequält, doch in dem Moment kommen gerade Davud und Tolja wieder. Auch wenn der restliche Abend noch sehr gemütlich und heiter ist, spürt Saphira immer wieder die Blicke der anderen auf sich. Besonders den von Graham, er ist nicht unfreundlich oder voreingenommen, eher abschätzend.

Als Saphira und Luna nur noch am Gähnen sind, bringen Calin und Vlad sie nach Hause. Schon während sie am Lagerfeuer gesessen haben, ist Saphira aufgefallen, dass außer Calin und Vlad alle jüngeren Männer zu zweit immer für eine halbe Stunde verschwunden waren. Sie hat sich nichts weiter dabei gedacht, aber als Calin und Vlad ihnen mitteilen, dass sie noch mal wegmüssen, beginnt sie sich immer mehr zu fragen, was die beiden jede Nacht so machen. Als Saphira kurze Zeit später im Bett liegt, lässt sie den Abend in ihren Gedanken noch einmal an sich vorbeiziehen und hofft, dass diese Geständnisse keine Auswirkungen haben.

Als Calin und Vlad zu seinem Haus zurückkehren, warten sein Vater und die anderen bereits auf sie. Radu und Tolja sind unterwegs, um die Stadt zu sichern, aber Calin will erst wissen, was der alte Graham weiß. Es ist ihm schwergefallen, vor Saphira und Luna nicht zu zeigen, wie ihn die Tatsache beunruhigt, dass sie alle richtiglagen und sie wirklich auch Teil einer Legende sind. Er hat gesehen, dass Graham mehr weiß, doch es ist besser, das ohne die beiden Schwestern in Erfahrung zu bringen. Anscheinend glauben sie nicht an ihre Geschichte, und Calin will sich erst ganz sicher sein und einschätzen können, inwieweit sich diese Neuigkeit auf alles auswirkt, bevor er sie beunruhigt und sie vor die Tatsache stellt, dass ihre Legende ebenso wahr ist wie die des Yasus-Clans. Sobald sie zu ihnen kommen, beginnt Graham zu berichten. Calin kann nicht einfach ruhig dasitzen und läuft unruhig neben dem Feuer hin und her.

»Die Töchter des Mondes also, ich habe schon von ihnen gehört, aber nicht viel, leider noch weniger, als das junge Mädchen weiß. Ihr wisst, ich kenne sonst jede Legende, aber es gibt ein paar Legenden, deren Geschichten kaum einer mehr kennt, und das kann immer nur zwei Gründe haben. Entweder die Legende gibt es nicht mehr, es lebt keiner mehr von dieser Art und ihre Geschichte verblasst, was hier aber offensichtlich nicht der Fall ist, wenn man bedenkt, dass es noch einige lebende Exemplare von ihnen gibt ...« Calin schießt einen herumliegenden Stein in das Gebüsch und sieht Graham mahnend an. Er weiß, dass der alte Mann immer so wissenschaftlich und sachlich von anderen Legenden redet, aber wenn er von Saphira und ihrer Familie so redet, erträgt es Calin nicht. Es geht hier nicht um ein wissenschaftliches Projekt, sondern um die Frau, die er liebt.

Calin wird in diesem Moment zum ersten Mal richtig bewusst, dass sie die Frau ist, die er liebt.

Alle sehen zu Calin, doch Graham fährt fort: »Der andere Grund dafür ist, dass es bewusst verborgen wird. Das wäre allerdings die schlimmere, aber wohl am ehesten zutreffende Variante. Es muss einen Grund geben, warum diese Legende vor den anderen geheim gehalten wird. Anscheinend weiß selbst Gabriel nichts davon, sonst hätte er das sofort erkannt. Als Wächter hat er eine besondere Gabe dafür zu erkennen, welche Art von Legende vor ihm steht, aber selbst er scheint von dieser Legende nicht wirklich etwas zu ahnen.«

Er fährt sich durch sein kinnlanges graues Haar. »Ich muss nach Gataia zu Petru. Wenn einer eine alte Legende kennt, die unerkannt bleiben will und niemandem mehr bekannt ist, dann er.« Ovid nickt: »Das stimmt, er kennt sich damit am besten aus, er kennt alle Legenden, er wird mehr darüber wissen oder zumindest wissen, wie wir mehr herausbekommen können.« Calin lässt sich neben seinem Vater auf einem Stuhl nieder. »Die Autofahrt dauert einen Tag, mindestens.« Calin kann seine Besorgnis nicht verbergen. Da sich ihr Verdacht nun bestätigt hat, müssen sie so schnell wie möglich erfahren, womit sie es genau zu tun haben, was hinter der Legende der Töchter des Mondes steckt und warum diese so geheim gehalten wird. Ovid klopft seinem Sohn verständnisvoll auf die Schulter. »Ja, aber anders geht es nicht. Ich begleite Graham, wir brechen auf, sobald die Sonne aufgeht.«

Am nächsten Tag, bevor Saphira ihre Schicht anfängt, kommt Calin aus der Werkstatt zu ihrem Auto und zieht sie in seine Arme. »Hey, Süße, du hast mir gefehlt!« Er gibt ihr einen leichten Kuss, den Saphira sehnsüchtig ausdehnt, und sich an ihn kuschelt. Er hat nur ein Shirt an, und sie lässt ihre Hände über seinen breiten Brustkorb gleiten, um sie hinter seinem Nacken zu verschränken. Sie ist ihm jetzt schon total verfallen. »Ich muss arbeiten«, Saphira sagt die Worte und schmiegt sich gleichzeitig enger an ihn. »Das ist mir egal, ich brauche eine morgendliche Dosis von dir, gewöhne dich daran.« Zwar lächelt Calin die ganze Zeit, doch erkennt Saphira auch noch etwas anderes in seinen Augen, allerdings kann sie nicht deuten, was es zu bedeuten hat.

»Ist alles in Ordnung?« Calin nickt und küsst ihre Nasenspitze. »Alles in Ordnung, ich muss später weg, aber vielleicht schaffe ich es, heute Nacht zu dir zu kommen.« Saphira macht sich schweren Herzens von ihm los. »Okay, aber denk daran, dass mein Vater wieder da ist.« Sie gibt ihm noch einen letzten Kuss und überquert die Straße zum Buchladen. Der Tag vergeht schnell, es kommen heute viele Leute und bestellen dasselbe Buch, da eine beliebte Romanstrecke fortgesetzt wird und alle den nächsten Teil so schnell wie möglich in ihren Händen halten wollen.

Am späten Nachmittag klingelt das Telefon. Als Marion, die gerade den Laden betreten hat und gleich ans Telefon gegangen ist, Saphira ruft, denkt diese, es ist ihre Schwester oder ihr Vater. Calin oder einer der anderen Männer würde nicht anrufen, sondern einfach in den Laden herüberkommen. Deswegen ist sie zuerst sehr verwundert, als sie Nicolas sanfte Stimme am Telefon erkennt. Sie freut sich, wieder von Nicola zu hören, sie hat die letzten Tage nach diesem merkwürdigen Abend öfter an sie denken müssen. Doch die Sache mit Calin hat sie zu sehr abgelenkt, sie hätte sonst selbst daran gedacht, sich zu melden. Noch mal entschuldigt sich Nicola für den Verlauf des Abends, und Saphira unterbricht sie, weil sie genau weiß, dass Nicola am allerwenigsten Schuld trägt. Die Männer haben sich aus immer noch für sie nicht nachvollziehbaren Gründen wie eine Horde wilder Idioten aufgeführt.

Nicola scheint trotzdem noch etwas unsicher zu sein, als sie Saphira von einer Ausstellung in der nächsten Stadt erzählt. Es werden alte, seltene Bücher ausgestellt, und sie wollte nachfragen, ob sie beide zusammen hingehen. Saphira ist sofort begeistert. Nicht nur wegen der Ausstellung, auch würde sie gerne etwas mit Nicola zusammen unternehmen. Sie beißt sich leicht auf die Lippe und sieht aus dem Fenster zu der Garage, vor der Calin und Cesar stehen und ein gerade geliefertes Auto betrachten. Sie denkt an Calins ständige Mahnungen, Nicola und ihrer Familie fernzubleiben, aber Saphira sieht nicht ein, dass sie Nicola nicht wiedersehen soll, nur weil der Yasus-Clan Probleme mit ihrer Familie hat. Zudem geht sie nicht zu ihnen nach Hause, und Saphira kann sich nicht vorstellen, dass außer Nicola noch jemand mitkommt.

Also sagt sie zu, auch wenn sie gleichzeitig ein schlechtes Gewissen hat, doch sie ignoriert dieses leichte Bauchgefühl, dass es falsch ist, was sie tut. Calin hat gesagt, er hat etwas zu tun, und sie wird ihn nicht anlügen, aber sie muss es ihm ja auch nicht unnötig auf die Nase binden. Sie sagt zu, und sie verabreden sich um 19 Uhr vor dem Museum, in dem die Ausstellung stattfinden soll.

Als Calin kurz nach Sonnenuntergang reinkommt, um sich noch schnell einen Kuss abzuholen und Saphira ein Sandwich zu bringen, fragt er zum Glück gar nicht nach, ob sie noch etwas machen wird. Er weiß ja, dass sie noch nicht viele Bekannte hier hat, und denkt wahrscheinlich gar nicht daran, dass sie nach all seinen Mahnungen noch auf die Idee kommen würde, sich mit Nicola zu verabreden.

Als sie kurze Zeit später im Auto in die andere Stadt fährt, breitet sich ihr ungutes Bauchgefühl immer weiter aus, aber als sie ankommt und eine strahlende Nicola dort steht, verschwindet es. Nicola sieht wie immer umwerfend aus, und Saphira blickt an sich herunter. Da sie nicht damit gerechnet hat, heute noch auf eine Ausstellung zu gehen, trägt sie nur eine einfache hellblaue Jeans, eine schwarze Bluse und schwarze Stiefel. Nicola hingegen trägt ein beigefarbenes Wollkleid, schöne Pumps, hat ihre roten Locken hochgesteckt, Saphira kommt sich total fehl am Platz vor. Doch Nicola scheint das Ganze weniger zu stören, sie strahlt und umarmt Saphira fest.

»Ich habe schon wieder ganz vergessen, wie gut du riechst«, lacht sie, als sie sich lösen. Saphira kann nicht glauben, dass Nicola nach so einem langen Tag noch das heute Morgen aufgetragene Parfüm riechen kann. Nicola will anfangen, sich erneut für den Abend zu entschuldigen, und Saphira muss laut loslachen. »Vergiss das endlich, lass uns diese Ausstellung genießen, ich bin schon sehr gespannt.« Nicola sieht sie erleichtert an und hakt sich bei ihr ein. »Nichts leichter als das.«

Saphira ist von der Ausstellung gefesselt. Nicola und sie verbringen fast zwei Stunden in dem Raum, wo auf vergoldeten Säulen viele kleine Schätze aufbewahrt sind. Wertvolle Konstanzer Drucke, seltene Bibelausgaben und Bücher der Barockzeit. Saphira ist erstaunt, wie viel Nicola über die alten Bücher weiß, sie dachte, sie selbst kennt sich damit schon aus, aber Nicola scheint über ein immenses Wissen zu verfügen. Nachdem sie die Ausstellung verlassen haben, schlägt Nicola vor, noch etwas essen zu gehen. Sie durchqueren ein kleines, leicht beleuchtetes und mit einem Gehweg versehenes Waldstück und landen in einem gemütlichen kleinen Restaurant, was man von der Straße her kaum erkannt hätte.

Saphira fühlt sich wohl mit Nicola, sie haben die gleiche Leidenschaft für Bücher, sie mag ihre etwas schüchterne, aber doch liebevolle Art. Es kommt Saphira so vor, als sei Nicola wirklich glücklich, mit ihr zusammen sein zu können. Während der Ausstellung und in diesem abgelegenen Restaurant im Wald hat Saphira keinen Empfang mit ihrem Handy, doch ein Blick auf die Uhr zeigt ihr, dass sie, nachdem sie beide ein leckeres Steak gegessen haben, langsam aufbrechen sollten.

Als sie das Restaurant verlassen, bemerkt Saphira erneut die Blicke aller auf ihnen beiden, aber sie hat sich daran im Laufe des Abends gewöhnt. Hier in diesen kleineren Städten fällt Nicola sicher immer auf, allein durch ihr graziles Auftreten, dazu dieses unglaubliche Outfit heute Abend, als wäre sie direkt aus einem Modemagazin entsprungen. Zudem trägt sie schon die ganze Zeit eine Sonnenbrille, da sie, wie sie sagt, eine Entzündung am Auge hat.

Sie durchqueren den Wald gerade wieder, und Nicola beginnt vorsichtig wegen Calin nachzufragen, als plötzlich aus dem tieferen Wald ein Mann auftaucht und sich ihnen in den Weg stellt. Er trägt eine dreckige Jeans und einen schmutzigen Pullover. Er sieht zwar aus wie ein Landstreicher, doch sein Gesicht ist ebenso schön wie die Gesichter von Nicolas ganzer Familie, man könnte denken, es ist ihr Bruder, auch wenn er dunkle Locken hat und etwas klein ist. Er sieht gerade mal aus wie Anfang 20, steht aber vor ihnen, als gehörte ihm die Welt. Und wieder hat Saphira ein instinktives Gefühl, dass von ihm Gefahr ausgeht, auch wenn er eigentlich nichts weiter macht, als sie anzusehen.

Innerhalb wenigen Sekunden hat Nicola Saphira mit solch einer Schnelligkeit hinter sich geschoben, dass diese leicht ins Schwanken gerät. Bevor Saphira darüber nachdenken kann, warum Nicola das tut, hebt diese warnend die Hand zu dem unbekannten Fremden hoch. »Denke nicht einmal daran, verschwinde dahin, von wo du gekommen bist!« Saphira geht einen Schritt zur Seite, um einen Blick auf den Mann zu erhaschen, offensichtlich kennt Nicola ihn doch. Der Mann lacht hart auf. »Willst den Leckerbissen wohl für dich alleine haben? Ihr Duft hat mich schon von weitem angelockt!«

Saphira zieht die Augenbrauen hoch, sie versteht nicht, wovon die beiden da sprechen. »Sie steht unter dem Schutz unseres Zirkels. Vladan sollte dir etwas sagen, ich denke nicht, dass du seinen Zorn heraufbeschwören willst.« Obwohl Nicola ziemlich ruhig ist, bemerkt Saphira den Ernst der Situation, sie bekommt Panik. »Wie du dir denken kannst, interessieren mich keine Zirkel.« Als er dieses Mal seinen Mund aufmacht, traut Saphira ihren Augen nicht. Seine Eckzähne sind auf einmal riesig geworden, er zischt die Worte fast nur noch hervor, und sein Blick ist unablässig auf Saphira gerichtet.

Panisch bewegt sie sich rückwärts, ohne ihn aus den Augen zu lassen. Sie sieht die aus der Erde herausragende Baumwurzel nicht und stolpert darüber. Sie ist so unter Schock, dass sie den Aufprall nicht mehr richtig registriert und sich auf dem Boden weiter nach hinten schiebt. Doch plötzlich geht alles ganz schnell, so schnell, dass es Saphira kaum mit ihren Augen erfassen kann. Der Mann stößt einen beängstigenden Ton aus und will an Nicola vorbei zu Saphira, doch Nicola hält ihn auf. Es wirkt so, als stieße sie ihn nur leicht an, doch der Mann fliegt mehrere Meter weit zurück gegen einen Baum. Blitzschnell dreht sich Nicola zu Saphira um, die mit offenem Mund zu ihr nach oben starrt. Auch Nicolas Gesicht hat sich leicht verändert, Saphira schreit auf. Nicolas Eckzähne sind gewachsen, und sie starrt auf Saphiras Arm. Obwohl sie nicht glauben kann, was sie da sieht, folgt sie Nicolas Blick geistesabwesend zu ihrem Arm, an dem eine große Platzwunde klafft und das Blut herausquillt.

Sie empfindet gerade nur Panik und solch eine Angst, dass sie keinen Schmerz empfinden kann. Als sie wieder zu Nicola hochsieht, scheint diese mit sich einen schweren inneren Kampf auszutragen. Sie verzieht das Gesicht schmerzvoll und atmet tief ein, dann zieht sie das Jackett aus, das sie über dem Wollkleid trägt, und wirft es Saphira zu. »Verbinde die Wunde schnell und gut!«, presst sie hinter zugekniffenen Lippen heraus, doch Saphira schüttelt den Kopf und robbt weiter nach hinten, sie muss hier weg, sofort.

Was sind das für Wesen? Das können doch keine ... es gibt keine Vampire. Saphira muss träumen, das ist nicht möglich. Hat Calin sie deswegen ...? »Saphira, sofort! Verbinde die Wunde!« Nicola schreit sie ernst an und dreht sich gleichzeitig um. Saphira hat nicht mal gemerkt, dass der Mann erneut angerannt kommt, und sie sieht es auch nicht richtig. Er ist so schnell, dass sie nur eine helle Spur erkennen kann, die sich auf Nicola stürzt. Saphira schreit erneut erschreckt auf, sie müsste auch vor Nicola Angst haben, aber ihr Unterbewusstsein sagt ihr, dass diese gerade für sie kämpft.

Sie kann kaum etwas erkennen, anscheinend fliegt dieses Mal Nicola durch den Aufprall weg, aber zieht den Mann mit. Sie entfernen sich wie ein helles Knäuel von Saphira, und diese nutzt die Möglichkeit und rappelt sich mühevoll auf. Sie bindet sich das Jackett, so gut es geht, um den Arm und beobachtet wieder den Kampf, wo dieses Mal Nicola einstecken muss. Saphira schlägt sich erneut die Hand vor den Mund, um nicht wieder loszuschreien, panisch sieht sie sich um, ist hier niemand, der helfen kann? Doch es ist niemand zu sehen, der Mann schlägt Nicola an den Haaren mit dem Kopf gegen einen Baum. »Saphira, renn! Lauf weg, schnell!« Nicola schreit ihr das zu, während der Mann sie traktiert, doch offenbar lenkt ihn das ab, denn er wendet sich blitzschnell Saphira zu, was Nicola sofort ausnutzt. Mit ihrem Kopf schlägt sie hart gegen seine Stirn. Diesen Moment nutzt sie erneut und schleudert den Mann quer durch die Luft, dieses Mal noch ein Stück weiter.

Ohne weiter auf ihn zu achten, kommt sie zu Saphira gerannt und packt sie am Arm, beide rennen in Richtung Straße.

»Wir müssen hier weg! Sofort!«

## Kapitel 12

Sora lehnt sich gemütlich in ihrem Kinosessel zurück und platziert die Cola im Getränkehalter. Sie sieht sich in dem zwar sehr kleinen, aber gut gefüllten Kinosaal um. Gibt es also doch noch ein paar Menschen, die einen guten Film zu schätzen wissen. In diesem Moment geht das Licht aus, sie sieht gespannt zur Leinwand und bemerkt nur nebenbei, dass sich jemand auf den noch leeren Platz zu ihrer Linken setzt. Erst als sie einen anziehenden männlichen Geruch wahrnimmt, reißt sie sich von der Leinwand los und wäre beinahe kreischend von ihrem Sessel gesprungen, als sie in das grinsende Gesicht von Dorian blickt. »Was tust du hier?«

Sofort kehrt die Panik zurück, die sie auch an dem Abend gespürt hat, als sie ihn bei sich in der Stadt alleine auf der Straße getroffen hat. Im Nachhinein musste Sora sich eingestehen, dass sie vor ihm zwar die ganze Zeit über Angst hatte, aber da er offensichtlich nicht vorhatte, ihr etwas anzutun, war sie sogar etwas aufgeregt und neugierig, das erste Mal mit einem der vermeintlichen Feinde zu reden. Von klein auf wurde ihr immer wieder erzählt, wie böse und tödlich diese Wesen sind. Nie hat sie wirklich einen von ihnen zu Gesicht bekommen, erst als sie mit Luna in diese gefährliche Situation hineingeraten ist.

Die Erzählungen von Saphira haben sie neugierig gemacht, und als sie dann auf Dorian getroffen ist, hätte sie ihn am liebsten berührt, untersucht, alles gefragt, was sie schon immer wissen wollte. Er wirkt auf sie so ... normal. Er sieht sehr gut aus, hat ein schönes Lächeln, und sein Geruch ist einfach nur anziehend. Es fällt ihr schwer zu verstehen, wie er ein gefährliches Monster sein kann. Doch sie kann diese Panik und Angst auch nicht einstellen, als er jetzt so nah bei ihr sitzt.

»Schon vergessen? Ich mag den Schauspieler auch. Der Film beginnt.« Dorian zeigt zur Leinwand, und auch Sora wendet ihren Blick dahin. Sie versucht ihre nassen Hände und ihr schnell schlagendes Herz zu ignorieren. Sie sitzen hier mitten in einem Kino, einem Raum voller Leute, was soll da schon groß passieren?

Sie schafft es ganze zehn Minuten, sich auf die Leinwand zu konzentrieren, bis er eine Tüte mit Popcorn auf seinen Schoß stellt und zu essen beginnt. Sora sieht ihn mit offenem Mund an. Er wendet seinen Blick zu ihr und hält ihr seine Tüte mit Popcorn hin. »Willst du auch?« Sora klappt ihren Mund wieder zu. »Ihr esst?«, entfährt es ihr, und Dorian sieht sich erst einmal um, aber alle anderen Leute scheinen von dem Film, den Sora eigentlich gerne selbst sehen würde, abgelenkt zu sein.

Dorian beginnt leise zu lachen. »Natürlich essen wir, ich liebe Popcorn, also, willst du?« Er zieht die Augenbrauen hoch: »Oder esst ihr etwa nicht?« Obwohl Sora weiß, dass er sie auf den Arm nimmt, ist sie noch so gedankenlos, ihm ihre Popcorntüte hinzuhalten. »Natürlich essen wir, ich bin ein Mensch!« Dorians Lachen vergeht, er sieht ihr ernst in die Augen und seufzt. »Okay, entweder wir sehen hier wie ganz ‚normale Menschen' den Film, oder wir führen eine Diskussion über die Vorurteile und Wahrheiten über unseren Zirkel.«

Sora spürt, dass ihn ihre Aussage getroffen hat, sie wendet sich wieder der Leinwand zu. Seit wann haben Vampire Gefühle? Sie sind doch untot, leben ewig, trinken Menschenblut und töten Menschen, indem sie sie in Vampire verwandeln. Wieso sollte solch ein Wesen Gefühle haben? Sora wendet sich erneut zu Dorian um und mustert sein feines Gesichtsprofil, er sieht wirklich gut aus. Seine blonden Haare sind etwas länger, und eine Strähne hängt ihm wild auf der Stirn. Er hat eine feine Nase und volle, schön geschwungene Lippen. Er könnte als Surferboy durchgehen, hätte er noch die typische Bräune. Natürlich spürt er ihren Blick und sieht sie ebenfalls an. »Also willst du doch die Diskussion?« Er wendet sich nun in seinem Sessel interessiert zu ihr und sieht sie herausfordernd an.

»Nein, ich frage mich nur, ihr müsst doch eigentlich ...« Sora kann ein leichtes Zittern in ihrer Stimme nicht verhindern, sie sitzt gerade mit einem Vampir im Kino und beginnt mit ihm eine Unterhaltung, plötzlich nimmt Dorian ihre Hand. Viel zu schnell und fest, so dass sie gar nicht die Möglichkeit hätte, sie wieder wegzuziehen. Er legt ihre Hand an seine Brust und beugt sich zu Soras Ohr vor. Anstatt panisch aufzuschreien, ist sie so starr vor Angst, dass sie sogar zu atmen vergisst. Sein Atem kitzelt ihren Hals, jetzt ist es zu spät, er wird sie beißen, und sie ist nicht mal in der Lage, sich zu wehren, weil sie starr vor Schreck ist.

Sora schließt die Augen, das ist ihre Strafe, sie hätte an dem Tag gleich Vlad Bescheid sagen müssen, dass sich einer der Vampire auf ihrem Gebiet befunden hat. Sie zittert, und Dorian drückt ihre Hand fest gegen seine Brust. »Spürst du das?« Sora öffnet die Augen wieder einen kleinen Spalt, aber ist nicht in der Lage zu antworten. »Fühle es, Sora, sei nicht so eingeschränkt in deiner Sichtweise. Wir haben ein Herz. Es verändert sich zwar bei der Verwandlung und schlägt langsamer als ein normales Herz, dafür aber ewig. Wir essen ganz normal, wir hören Musik, sehen Filme, wir lieben! Bilde dir deine eigene Meinung, bevor du urteilst.«

Dorian zieht sich etwas zurück und sieht Sora in die Augen. Sora holt wieder Atem, doch er lässt ihre Hand an seiner Brust, und wirklich, sie spürt seinen Herzschlag. Sie kann ihre Verwunderung darüber nicht verbergen, und Dorian lächelt. Sora zieht ihre Hand aus seiner und entfernt sich wieder ein Stück. »Aber ihr seid doch wie eingefroren, unsterblich, innerlich tot?« Dorian greift wieder in die Popcorntüte und steckt sich einige der kleinen Bällchen in den Mund, während er sich zurücklehnt.

»Nein, wir sind unsterblich, auf natürlichem Weg können wir nicht sterben. Wir altern nicht, aber wir sind nicht tot. Vielleicht sind unsere Körper eingefroren, was ja nichts Schlechtes ist, aber unser Geist und unser Verstand entwickeln sich immer weiter. Unsere Seele ist nicht gestorben, wie du es denkst. Wir haben sehr wohl Gefühle. Vladan, von dem du sicher schon gehört hast«, auf ihr zaghaftes Nicken lächelt er mild, »Vladan und Catalina führen schon seit über 600 Jahren eine feste Beziehung, sie haben eine so starke Bindung, zu der normale Menschen meiner Meinung nach gar nicht in der Lage sind.«

Sora wendet sich nun auch unbewusst ganz in ihrem Sessel zu ihm um. »Das hört sich zumindest sehr romantisch an, auch wenn ich mir das nur schwer vorstellen kann. Aber wenn ihr normales Essen zu euch nehmt, wieso trinkt ihr dann Blut?« Sora kann nicht verhindern, dass sie angeekelt ihr Gesicht verzieht. Dorian scheint über ihre Abneigung enttäuscht zu sein, aber er ist zugegebenermaßen sehr geduldig und höflich. Er erklärt ihr genau, dass sie nur hin und wieder Menschenblut brauchen, dass dies nicht, wie viele denken, ein Tötungsakt ist, sondern meistens etwas mit ganz anderen Gefühlen zu tun hat, dass die Menschen diesen Moment sehr genießen.

Sora ist sich sicher, dass sie ein wenig rot wird, als er so offen davon redet. Sie hatte schon hin und wieder einen Freund, heimlich in der Schule. Aber da sie die Schwester von einem der meist geachteten Männer aus dem Rudel und breitesten Jungen aus der Schule ist, ist da außer ein paar heimlichen Küssen noch nichts weiter passiert, und sie will nicht, dass Dorian das jetzt spürt. Noch während sie diesen Gedanken zu Ende denkt, merkt sie, wie irreal diese Situation gerade ist. Sie sitzt hier im Kino bei einem Film, auf den sie monatelang gewartet hat, und unterhält sich flüsternd mit einem ...Vampir, während ihr Bruder und die anderen Männer genau in diesem Moment ihre Stadt vor genau diesen Vampiren beschützen. Er ist der Feind ihres Clans, und sie muss zugeben, dass sie immer weniger Angst vor ihm hat und ihre Neugierde immer mehr wächst.

Dorian erzählt ihr von den einzigen Ausnahmen, die zu einer Verwandlung führen, wenn sie einen schon kurz vor dem Tode stehenden Menschen verwandeln oder wenn es der ausdrückliche Wunsch eines Menschen ist. Sora ist sich bewusst, dass keiner von ihnen mit einem Menschen, der über die Legenden nicht Bescheid weiß, darüber sprechen darf, um ihren eigenen Clan zu schützen. Und sie hat auch das Gefühl, Dorian genießt es, mal mit jemand anderem außerhalb seines Zirkels darüber zu sprechen.

»Aber ihr dürft nie in die Sonne? Also nicht am Tage hinaus, oder?« Dorian formt seine inzwischen leere Popcorntüte zu einen Ball, und Sora merkt, dass langsam alle das Kino verlassen, weil bereits der Abspann des Films läuft. Die Zeit scheint verflogen zu sein. Dorian sieht sie dieses Mal nicht an. »Nein, das geht nicht, das ist eine Sache, an der wir sterben könnten. Wir dürfen nur nachts hinaus, die Sonne ... das Licht würde uns verbrennen.« Sora findet diesen Gedanken schrecklich. »Das heißt, du weißt gar nicht, wie die Welt im Tageslicht aussieht? Ein Baum im Sonnenschein, Schmetterlinge, wie sich Sonnenstrahlen auf der Haut anfühlen?« Für Sora ist das unmöglich, der Gedanke, nie wieder die Sonne zu sehen, am Tage in die Welt hinauszuschreiten, wäre für sie unerträglich. Dorian sieht noch immer nicht zu ihr, sondern nach vorne auf die Leinwand, auf der noch die Namen abgespielt werden von den Menschen, die für den Ton oder die Kostüme verantwortlich sind und die sich eh niemals jemand durchliest.

»Doch, ich kann mich noch daran erinnern, ich weiß noch, wie ich als Kind immer einen Schneemann gebaut habe. Ich habe ihn dann von meinem Fenster beobachtet, weil ich Angst hatte, dass er wegläuft. Aber trotzdem würde ich dieses Leben jetzt nie wieder eintauschen wollen, auch wenn ich das manchmal vermisse.« Er sieht wieder zu ihr und lächelt. Sora schaut ihm in diese außergewöhnlich dunklen Augen, er ist wirklich unglaublich schön. Sie schüttelt leicht den Kopf. »Okay, ich muss jetzt langsam nach Hause.« Dorian steht auf und geht aus dem engen Gang, Sora folgt ihm. »Es tut mir leid, dass ich dich mit meiner Anwesenheit so gestört habe und du deinen Film nicht genießen konntest«, gesteht er leise, während sie das Kino verlassen und Sora ihr Handy anschaltet.

Dorian tut es ihr gleich, und beide Handys fangen zur selben Zeit an, wie wild zu piepsen. Beide sehen sich einen Moment in die Augen und wissen, es muss etwas Schreckliches passiert sein.

»Saphira, schneller, beeil dich!« Saphira spürt kaum, wie ihre Beine sich wegbewegen, Nicola zieht sie am noch gesunden Arm in die wieder volleren Straßen, und erst da werden sie etwas langsamer. Saphira ist nicht mehr in der Lage, klar zu denken, sie blickt sich panisch um. »Ist er weg?« Nicola schüttelt den Kopf und weist sie an, sich in ihr rotes kleines Auto auf den Beifahrersitz zu setzen, als sie dieses erreichen. Saphira will gerade einsteigen, da stockt sie: »Aber du bist auch ...«

Nicola sieht sie ernst an. »Ich weiß, dass das jetzt alles zu viel ist, aber Saphira, vertraue mir. Ich tue dir nichts. Du blutest sehr stark, und der Mann wartet nur darauf, uns zu bekommen, also bitte steig jetzt ein. Ich muss dich hier wegbringen!« Saphira sieht sich um, die Straßen werden immer leerer, und als sie in den dunklen Wald sieht, steigt sie schnell ein. Der Blazer ist blutgetränkt, sie hat nicht gemerkt, dass die Verletzung so stark ist. Sie steht offensichtlich mehr als unter Schock. Sie kann kaum den Blazer weiter auf den Arm drücken, so stark zittert sie.

»Ich kann dich so nicht in ein Krankenhaus bringen, die werden wissen wollen, was passiert ist, und du musst erst richtig aufgeklärt werden, damit du weißt, was du sagen kannst«, nuschelt Nicola vor sich hin. Sie scheint gerade mit sich selbst auszumachen, wie es weitergehen soll. Saphira denkt an ihr Handy, das sie in der Handtasche hatte, die nicht mehr da ist. Beim Sturz muss sie diese verloren haben. »Er wird nicht lockerlassen, nicht, nachdem er dein Blut geroch... Saphira, würdest du bitte das Fenster öffnen. Ich versuche schon mich zu beherrschen, aber bei diesem starken Einfluss ...«

Nicola presst ihre Lippen aufeinander, doch Saphira hat schon längst gesehen, dass ihre Zähne wieder gewachsen sind, aber sie sieht auch ihren verkrampften Gesichtsausdruck und wie schwer es ihr offenbar fällt. »Was seid ihr?« Saphira öffnet das Fenster, die Worte dringen nur leise über ihre Lippen, und sie hört das Zittern in ihrer Stimme. Durch die frische Luft scheint es etwas besser zu sein, und Nicola schaut von der Straße in den Wald. »Saphira, das ist nicht so einfach zu erklären, ich muss dich jetzt erst einmal zu Vladan bringen. Der Vampir befindet sich an unseren Fersen, alleine kann ich dich nicht lange vor ihm schützen.« Saphira sieht in den Wald. Nicola rast wie eine Wahnsinnige. »Wie, er läuft neben uns? Wie soll das gehen?« Nicola hat ihre Handtasche anscheinend noch einsammeln können, denn sie zieht daraus jetzt ein Handy. Bevor sie jedoch wählen kann, hält Saphira sie auf.

»Bitte, Nicola, ich will nach Hause! Bitte bring mich einfach nach Hause.« Nicola schüttelt den Kopf. »Nein, das geht nicht, dein Vater, deine Schwester. Wie willst du es denen erklären? Wir müssen dir erst einmal alles in Ruhe erklären ... ich weiß auch nicht, wie und was ...« Saphira unterbricht sie. »Wissen es Calin und die anderen? Ist das der

Grund für eure Feindschaft? Er wird mich sicher schon suchen!« Nicola überlegt hin und her. Dann drückt sie Saphira das Handy in die Hand. »Ruf deine Schwester an, sag ihr, dass sie deinem Vater sagen soll, du übernachtest bei mir. Ich bringe dich zu Ovid.« Saphira nickt und wählt mit den zittrigen Fingern die Nummer von Luna. Nach einmal Klingeln geht Luna panisch ran.

»Saphira, bist du das?« Saphira beginnt augenblicklich zu weinen, als sie die vertraute Stimme von Luna hört. »Was ist passiert, alle drehen hier durch. Wo bist du? Wieso meldest du dich nicht? Was ist passiert ... rede, Saphira!«, fährt sie ihre jüngere Schwester besorgt an. »Luna, ist Papa da? Du musst ihm sagen, dass ich bei Nicola schlafe.« Luna zieht zischend die Luft ein: »Du hast dich wieder mit ihnen getroffen? Ich habe die ganze Zeit auf Calin eingeredet, dass du das nicht noch einmal tun würdest. Er ... sie alle suchen dich! Keine Sorge, Papa haben wir gesagt, du bist mit Calin zusammen, und der schläft schon lange auf der Couch. Saphira, warum weinst du? Sag jetzt endlich, was los ist!«

Saphira holt tief Luft. Sie sieht, dass sie sich Barnar nähern, und hört die Angst in Lunas Stimme, und sie kann ihr diese nicht einmal nehmen. Sie muss Angst haben. Das, was Saphira heute Abend gesehen und erfahren hat, muss ihnen beiden Angst machen.

Das, was wohl noch auf sie zukommt, muss ihnen Angst machen. Sie fühlt sich, als wäre sie gerade in ihrem eigenen Alptraum gefangen.

# Kapitel 13

»Luna, wir sind gleich da. Sag Calin, ich komme zu ihm nach Hause, und bring Verbandszeug mit, aber die Eltern von Calin ...« Das Handy rutscht ihr aus der Hand, weil sie noch so stark zittert. Bevor es herunterfällt, fängt Nicola es problemlos auf und hält es sich ans Ohr. »Hör zu, Luna, ruf Calin an und sag ihm, ich bringe Saphira zu Ovid.« Sie beendet sie das Gespräch und drückt wieder einen Knopf. Dann spricht sie mit einer Person in einer anderen Sprache. Saphira schätzt, dass es Latein ist, achtet aber nicht weiter darauf, sondern sieht aus dem Fenster in den dunklen Wald, der an ihnen vorbei rast.

Es ist unmöglich, dass der Mann ihnen noch folgt, aber was ist schon unmöglich nach dem, was Saphira gerade gesehen hat? Erst als sie nach Barnar hineinfahren, achtet Saphira wieder auf Nicola und merkt, dass diese stark am Diskutieren ist und dann das Handy sauer auf den Rücksitz schmeißt. »Verdammt, das hätte alles nicht passieren dürfen!«, flucht sie und fährt in Richtung von Ovids Haus. Plötzlich ertönt das laute Heulen eines Wolfes, und Nicola fährt automatisch langsamer. »Wieso fährst du langsamer? Ist er jetzt weg?« Nicola sieht selbst in Richtung Wald und schüttelt den Kopf. »Ich denke nicht, dass er so schnell aufgibt, aber jetzt sorge ich nicht mehr alleine für deinen Schutz.« Bevor Saphira nachfragen kann, hält Nicola schon vor dem Haus. Saphira will gerade die Tür aufmachen, doch diese wird schon aufgerissen, sie wird herausgezogen und landet direkt in Calins Armen.

Saphira steht immer noch unter Schock. Kein Gedankengang von ihr ist wirklich zusammenhängend, doch als sie ihren Kopf jetzt an Calins breite Brust legt und seine starken Arme um sich spürt, die sich schon fast verzweifelt um sie legen, geben ihre Beine nach. Es fühlt sich so gut an, bei ihm zu sein. Sie atmet seinen Duft ein und kann ihre Tränen nicht mehr aufhalten. Calin scheint zu merken, dass ihre Beine nachgeben, und hebt sie auf seine Arme. Jetzt sieht sie ihn das erste Mal richtig an und blickt in seine wütenden, aber auch sorgenvollen Augen, die ihren Körper entlangfahren.

Auch er zittert, als er sie näher an sich drückt. Saphira bemerkt Tolja und Luca hinter Calin, die ebenfalls sorgenvoll zu ihr sehen. »Was macht sie bei dir? Haben wir uns nicht verstanden? Was hast du mit ihr gemacht?« Saphira zuckt zusammen, als Calin anfängt zu brüllen, und wendet sich in seinem Arm so um, dass sie auch zu Nicola sehen kann, die er gerade so traktiert. Nicola ist ebenfalls ausgestiegen und sieht genervt zu Calin. Der beachtet sie aber nicht weiter, sondern schiebt Saphiras Haare zur Seite und begutachtet ihren Hals. Ihr fällt wieder ein, wie er das auch beim ersten Mal getan hat, als sie den Abend bei Vladan und Nicola im Haus verbracht hat, jetzt versteht sie auch den Grund.

»Sie hat mich nicht gebissen!«, flüstert Saphira leise, ungläubig darüber, dass sie das wirklich sagt. Doch sie bemerkt trotzdem, wie Calin zusammenzuckt und Luca und Tolja leise fluchen. »Du ... du weißt genau, dass sie das nicht erfahren darf! Was passiert, wenn sie es erfährt?« Noch während Calin Nicola weiter anschreit, tritt diese vor, und Calin dreht Saphira von ihr weg. »Nun krieg dich wieder ein, Hündchen, ich habe sie gerade vor einem Ruhelosen gerettet!« Calin wirft ihr einen bösen Blick zu, doch dreht sich dann zu den Jungs um und geht mit Saphira im Arm zum Haus. »Sagt Kalanta Bescheid, sie muss sofort kommen.« Luca nickt und verschwindet.

Während Calin die Tür aufmacht, kommt Adina heraus. »Oh mein Gott! Was ist passiert?« Sie fasst Saphira an die Stirn. »Sie ist ganz kalt, sie steht unter Schock, bring sie schnell rein.« Doch Saphira wendet sich in Calins Armen, so dass sie noch einen Blick auf Nicola werfen kann, die gerade mit Tolja zu diskutieren anfängt, offensichtlich will sie bei Saphira bleiben. »Nicola, komm mit«, versucht Saphira ihm zuzurufen, doch sie merkt selbst, dass ihr zum lauten Sprechen die Kraft fehlt. »Sie wird hier sofort verschwinden, sie hat hier nichts zu suchen, das wird noch sein Nachspiel haben. Sie kann froh sein, dass ich jetzt nicht sofort handle.« Saphira nimmt ihre letzte Kraft zusammen und sieht zu Calin hoch.

»Ich möchte, dass sie bei mir bleibt, sie hat mir einiges zu erklären, und sie hat recht. Sie hat mir das Leben gerettet! Ich weiß nicht, wie, ich verstehe es nicht, aber sie hat für mich gegen den Mann gekämpft.

Ich will, dass sie bleibt, Calin, bitte.« Sie braucht nicht in Calins Augen zu sehen, um zu wissen, dass er das nicht will, dass er es hasst, aber er neigt seinen Kopf nach hinten und nickt zu Tolja. »Bring sie mit rein und behalte sie im Auge!«

Calin legt Saphira auf die Couch, und im selben Moment kommt Adina aus dem Bad, mit einer Schüssel voller Wasser und einem Tuch. Auch Tolja und Nicola treten ein. Man sieht Adina ebenfalls an, dass ihr Nicolas Anwesenheit nicht gefällt, als sich diese am Fußende zu Saphira auf die Couch setzt und über Saphiras Bein streichelt. Calin kniet sich neben Saphira, nimmt ihr Gesicht in seine großen Hände und fixiert sie mit seinem Blick. »Saphira, guck mich an. Du bist jetzt hier bei mir, alles ist wieder gut. Beruhige dich.« Saphira will ihn erst fragen, was er genau meint, im Vergleich zu vorhin im Auto fühlt sie sich schon viel ruhiger, doch dann spürt sie selbst, dass sie noch immer zittert.

»Calin, lass mich mal ihren Arm ansehen«, weist Adina ihren Sohn liebevoll an. Er gibt Saphira einen Kuss und legt seine Stirn an ihre, dann tritt er zur Seite, damit Adina sich zu Saphira setzen kann. Im selben Moment geht die Tür auf, und Luna, Vlad und Cesar treten ein. Luna weint und kommt sofort an Adinas Seite. Als Adina den Blazer von der Wunde nimmt, ziehen einige laut die Luft ein. Calin flucht und wendet sich an Nicola. »Ich warne dich!« Nicola winkt ab, Calins Hass auf sie scheint sie weder zu stören, noch scheint sie ihn sonderlich ernst zu nehmen. »Ich habe mich an den Geruch gewöhnt, es ist eine Übungssache.« Sie lächelt lieblich in die Runde, doch alle sehen sie böse an, außer Luna, die das Ganze nicht versteht.

Leider kann Saphira das nicht mehr von sich behaupten. Sie beginnt, alle Zusammenhänge immer mehr zu verstehen. Sie braucht Antworten auf alles, was passiert ist, was hier vor sich geht, doch sie muss erst wieder zu Kräften kommen.

Sie nimmt alles nur noch ganz verschwommen wahr. Adina sagt etwas zu Luna, und die bringt ihr etwas zu trinken, dann trifft eine etwas ältere Frau ein und untersucht sie. Saphira will noch unbedingt Calin mitteilen, dass sie gleich mit allen reden möchte, doch die Frau gibt ihr eine Spritze, und sie schläft ein.

Soras Gedanken überschlagen sich, als sie nach Barnar hineinfährt. Sie und Dorian sind sofort aufgebrochen, ohne noch ein Wort zu wechseln. Egal, wie viel sie sich im Kino unterhalten haben, genau dort war die Trennung. Jeder wusste, dass etwas passiert ist und dass es sicherlich etwas mit der anderen Seite zu tun hat. Vlad war am Handy und hat ihr gesagt, dass etwas mit Saphira sei und sie sofort kommen solle. Als sie jetzt zurückruft, erfährt sie, dass sie alle bei Ovid sind. Noch während sie abbiegt, rast Dorian mit seinem schwarzen Traumauto an ihr vorbei. Bei Ovid angekommen, muss sie erst einmal tief Luft holen, um das Bild zu verstehen, das sich ihr dort bietet.

Ihre Ärztin Kalanta ist da und verbindet der schlafenden Saphira den Arm. Saphira sieht sehr blass aus, als hätte sie dem Tod persönlich ins Auge gesehen, und als Sora entdeckt, wer bei ihr sitzt, versteht sie das auch. Eine Frau aus Vladans Zirkel sitzt am Ende der Couch und betrachtet besorgt Saphira. Nach der Beschreibung, die sie kennt, muss es diese Nicola sein. Luna hockt bei ihrer Schwester und weint, während Soras Zwillingsbruder seiner Freundin beruhigend den Rücken streichelt. Calin läuft unruhig hin und her, sein Blick wechselt ständig zwischen Nicola und Saphira. Adina bringt allen etwas zu trinken, auch Nicola bietet sie etwas an. Nicola nimmt das Glas mit Wasser. Woher weiß Adina, dass sie trinken und essen?

Sora schüttelt über ihren eigenen Gedankengang den Kopf, eine bessere Frage ist, was tut diese Vampirfrau überhaupt hier? Wie kommt es, dass ein Vampir im Wohnzimmer des Anführers des Rudels sitzt?

Sie wendet sich an Tolja und Luca, die das Ganze auch beobachten. »Was ist passiert?« Tolja zuckt die Schultern, lässt die Vampirfrau aber nicht aus den Augen. »Noch wissen wir es nicht ganz genau. Calin will erst, dass Saphira versorgt ist.« Sie stellt sich zu den Jungs, die alle für sie wie Brüder sind, und wartet. Ihre Gedanken wandern zu Dorian. Was wird er jetzt machen? Da diese Frau jetzt hier sitzt, ist mehr als klar, dass der Vorfall etwas mit Vladans Zirkel zu tun hat. Sie bekommt ein ungutes Bauchgefühl. Was ist, wenn herauskommt, dass sie mit ihm zusammen war? Es war ja nicht geplant, doch es war das zweite Mal, dass sie auf ihn getroffen ist.

Kalanta ist fertig. »Sie braucht viel Ruhe. Sobald sie wach ist, wechselt ihre Verbände, sie soll viel zu sich nehmen, auch diese Tabletten hier, die regen die Blutneubildung an.« Kalanta wirft einen Blick zu Nicola, die leicht die Augen verdreht. »Ich komme morgen noch einmal nach ihr sehen.« Adina bringt sie zur Tür, nachdem Calin ihr noch einmal gedankt hat. Genau als Calin Saphira in seine Arme nimmt, um sie in sein Zimmer zu bringen, und Adina die Tür aufmacht, um Kalanta hinauszulassen, treten, ohne um Einlass zu bitten, Vladan, Dorian und zwei weitere Männer von draußen herein. Calin wirbelt herum. »Was zur Hölle denkt ihr euch? Ist heute Tag der offenen Tür für Vampire?«

Luna steht auf und sieht sich verwundert um. Vlad flucht, während Calin immer wütender wird. Sora kennt Calin, genau wie alle anderen, ihr Leben lang. Sie weiß, dass er sich nur noch zurückhält, weil in seinen Armen Saphira liegt. Vladan kräuselt die Nase. »Glaub mir, Wauwau, ich kann mir auch Schöneres vorstellen, aber ich werde niemanden aus meinem Zirkel ungeschützt in eurer Nähe lassen. Zudem haben wir gerade einen Ruhelosen zusammen mit zwei eurer Wölfchen von hier verjagt, und Gabriel ist garantiert auch schon auf dem Weg hierher.«

Calin flucht laut, dreht sich aber um und trägt Saphira nach oben, dicht gefolgt von Luna, die bei ihrer Schwester bleiben will. Sora atmet tief ein, sie wird wahrscheinlich wie alle spüren, dass dies hier der Anfang einer großen Katastrophe ist, dass sich alles ändern wird. Sie blickt sich um. Nun ist Adina nicht mehr so gefasst wie vorher, als nur Nicola bei ihr auf der Couch gesessen hat. Sora selbst blickt unschlüssig zwischen dem Zirkel und Luca, Vlad und Tolja hin und her. So eine Situation gab es noch nie, doch letztlich greift Tolja ein. Er nickt zu Adina, die Sora mit in die Küche nimmt, während sich der Zirkel im Wohnzimmer an verschiedenen Stellen hinsetzt. Sora blickt vorsichtig zu Dorian und trifft auf seine dunklen Augen, die auf ihr liegen. Das vorhin im Kino war eine zu unreale Situation, das spürt sie jetzt, wo sie beide sich in der Realität gegenüberstehen, genau. Sie sind auf verschiedenen Seiten, der Graben zwischen ihnen könnte nicht größer und schwerer zu überbrücken sein. Sora setzt sich an einen Tisch, von dem sie das Geschehen im Wohnzimmer genau beobachten kann. »Soll ich denen etwas anbieten?« Adina sieht ratlos zu Sora, und diese zuckt die Schultern, keiner weiß so recht mit dieser Situation umzugehen.

Während Adina anfängt in der Küche herumzuwerkeln, beobachtet Sora Dorian und die anderen. Vlad sieht unruhig zu der Treppe, die nach oben führt. Sicher wäre er jetzt gerne bei Luna, doch er kann den Zirkel hier nicht nur Tolja und Luca überlassen. Vladan zieht sein Handy aus der Tasche und telefoniert. Soviel wie Sora versteht, mit dieser anderen Frau aus dem Zirkel, nach Dorians Beschreibung Vladans Gefährtin. Er macht sich anscheinend auch Sorgen um sie, wollte sie aber nicht mit hierher nehmen. Alle anderen sehen sich nervös um. Fast im selben Moment, als Calin alleine die Treppe wieder herunterkommt, klopft es an die Haustür. Als Tolja diese öffnet, treten Gabriel, Felicitas und Raphael ein. Sora wird es immer mulmiger.

Die drei hat sie zwar schon ein paar Mal gesehen, trotzdem sind sie ihr unheimlich. Ihre Kräfte sind sehr stark, und keiner weiß wirklich, wie mächtig sie sind. Gabriel begrüßt niemanden, sondern kommt gleich zum Punkt. »Wo sind die beiden Menschenschwestern, die hier alles durcheinanderbringen?« Calin verschränkt die Arme vor der Brust. »Sie sind oben, beide schlafen, und keiner von euch nähert sich ihnen. Zudem sind sie keine Menschen, zumindest nicht so, wie wir es bisher dachten.« Gabriel beginnt auf und ab zu laufen: »Das habe ich mir schon gedacht, aber wie ist das möglich? Wieso habe ich ihre Legende nicht erkannt? Was sind sie dann?«

Calin setzt sich erschöpft auf die Couch, offenbar ist er so in Gedanken vertieft, dass er gar nicht bemerkt, wie er sich neben Nicola und Dorian setzt. Auch diese scheinen zu abgelenkt, so dass sich niemand daran stört. »Sie nennen sich Töchter des Mondes, ihre Legende wurde bewusst geheim gehalten. Warum, wissen wir nicht, auch nicht, was genau es damit auf sich hat. Ovid und unser Ältester sind gerade in Gataia bei Petru und versuchen mehr zu erfahren. Sie werden jeden Augenblick zurück sein.« Gabriel schnauft leicht auf.

»Den alten Besserwisser Petru gibt es noch? Nun gut, was ist heute Nacht genau passiert?« Alle Blicke wenden sich zu Nicola, und sie beginnt genau zu schildern, was passiert ist.

Dieses Mal ist es egal, zu welcher Seite jeder gehört, bei ihren Schilderungen sind alle ernst, besorgt und erschrocken. Denn jede Partei mag die beiden Schwestern. Als sie endet, räuspert sich Calin leicht. Er sieht zu Nicola. »Wenn man mal davon absieht, dass Saphira dort gar nichts zu suchen hatte, möchte ich dir danken, dass du sie verteidigt hast. Ich weiß es zu schätzen, dass du gegen den Drang angekämpft und sie zu mir gebracht hast. Saphira bedeutet mir sehr viel, und ich stehe dafür in deiner Schuld.«

Nicola sieht ihn mit großen Augen an, auch alle anderen scheinen etwas ungläubig. Doch Sora lächelt nur, Calin muss Saphira wirklich über alles lieben, wenn ihm ihre Sicherheit wichtiger ist als sein Stolz, wichtiger als sein Hass auf den Zirkel. »Ein Ruheloser, habt ihr ihn bekommen?«, schaltet sich Gabriel ein. Diesmal meldet sich Vladan zu Wort. »Nein, leider nicht. Die beiden Wölfe gehen noch das Gebiet ab, aber er ist uns entkommen. Und so wie ich die Lage einschätze, wird das nicht der letzte Versuch sein, an die beiden heranzukommen.« Raphael murrt leise, er scheint Vladans Gedanken zu lesen. »Bist du dir sicher, oder ist das nur eine Vermutung?«, fragt er Vladan, der das Handy in seiner Hand immer wieder zu- und aufklappt.

»Er war so verrückt, ihnen bis hierher zu folgen, obwohl er weiß, wie gefährlich das für ihn ist. Er schien wie besessen, ich hoffe nicht, dass er sich an Maurice wendet, aber ich befürchte es.« Sora gibt ein erschrockenes Keuchen von sich, als sie diesen Namen hört. Auch Nicola und Adina halten sich ungläubig die Hand vor den Mund. Maurice, allein der Name ist ein Grund, um nächtelang nicht schlafen zu können. Es gibt unter den ruhelosen Vampiren keine Ordnung und keine Regeln. Sie leben allein, sind brutal und ohne Werte. Doch wenn es unter ihnen so etwas wie einen Anführer gibt, ist es Maurice. Um ihn herum sammeln sich immer welche von den Ruhelosen. Sie verehren ihn wie einen Gott, und wenn es etwas gibt, wenden sie sich an ihn. Es ist selten, dass jemand ihn mal zu Gesicht bekommt; wenn, dann ist die Wahrscheinlichkeit, dass man diese Begegnung überlebt, gleich null. Sora weiß nicht sehr viel über ihn, doch man sagt, sein Gesicht sei von Narben entstellt von den vielen Versuchen seiner Feinde, ihn zu töten, doch es hat noch niemand geschafft.

Man sagt außerdem, dass er nicht wie die Zirkel nur das Blut der Menschen trinkt und ihnen passiert nichts weiter. Auch nicht, wie die ruhelosen Vampire an sich die Menschen oft töten, während sie ihr Blut trinken, ihnen bedeutet deren Leben nichts. Maurice ist noch viel schlimmer als alle zusammen, er soll dabei zu einem Tier werden. Er schändet die Frauen, und wenn er mit einem Menschen fertig ist, bleibt nicht mehr viel von ihm übrig. Sora bekommt eine Gänsehaut. »So wahnsinnig wie der Ruhelose war, würde es mich nicht wundern, wenn er auf direktem Weg zu Maurice ist. Wenn dieser von den beiden und deren seltenem Geruch hört, wird er sich auf sie fixieren und sie jagen. Ich kenne ihn, er wird nicht lockerlassen.«

Vladan schmeißt genervt sein Handy auf den Tisch. Sora hat gehört, dass er eine Zeitlang wie ein Verrückter nach Maurice gesucht hat. Es ist unmöglich, einen erfahrenen ruhelosen Vampir ausfindig zu machen, doch Vladan soll es gelungen sein. Er soll ihn fast getötet haben, aber eben nur fast. Calin fährt sich durch die Haare. »Es wird niemand an die beiden herankommen, dafür sorgen wir schon und ...« Gabriel lacht bitter auf: »Das hat man heute gesehen. Sie selbst müssen verstehen, in was für einer Gefahr sie sich befinden, um den Ernst der Lage zu erkennen. Wir kommen eh nicht mehr darum herum, sie einzuweihen, sobald sie wach sind.«

Calin wirkt immer verzweifelter. Sora will sich gar nicht vorstellen, wie er sich fühlen muss. Nicht nur, dass Saphira von der Existenz der Vampire erfährt, nein, sie wird auch erfahren, dass der Mann, den sie liebt und der sie liebt, anders ist, nicht auf die normale Weise ein Mensch ist, wie sie denkt, und keiner weiß, wie sie auf all das reagieren wird. Eine nachdenkliche Stille entsteht. Adina traut sich in das Wohnzimmer, wo sie ein paar Kleinigkeiten zu essen auf den Tisch stellt und so schnell wie möglich wieder in die Küche kommt.

Sora und Dorian wechseln immer wieder einen Blick. »Wenn Maurice wirklich Jagd auf die beiden macht, bedeutet das, dass alle, die hier in der Gegend wohnen, in Gefahr sind.« Dorian unterbricht das Schweigen, als er sich damit zu Wort meldet und einen kurzen Blick zu Sora wirft. Sie senkt ihren Blick, macht er sich etwa um sie Sorgen? Erst Raphaels leises Schmunzeln lässt sie wieder aufblicken und leicht erröten.

»Wenn sich unsere Vermutungen bestätigen, dann wird nichts wie vorher sein, aber wir müssen erst einmal ...« Gabriel wird von Ovids und Grahams Eintreten unterbrochen. Beide sehen müde aus, aber scheinen auch nicht überrascht zu sein, sie alle hier vorzufinden. Calin wird seinen Vater schon von oben mit dem Handy unterrichtet haben. Dieses Mal lässt sich Adina nicht von der Anwesenheit der Vampire stören und begrüßt ihren erschöpften Mann. Als er und Graham sich auf das Sofa gegenüber von Calin, Dorian und Nicola setzen, traut sich auch Sora zu ihnen. Sie setzt sich neben Graham, und er gibt ihr einen Kuss auf die Stirn, bevor er anfängt zu erzählen.

»Wir hatten Glück. Petru kannte die Geschichte der Töchter des Mondes noch. Es gibt in seinem gut bestückten Archiv noch einige Aufzeichnungen zu ihnen.« Er holt eine alte Rolle heraus und öffnet diese. Auf der Rolle befindet sich die Zeichnung einer wunderschönen Frau. Sie hat Ähnlichkeiten mit Saphira, und darunter steht etwas in einer Sora unbekannten Schrift. »Die Legende der Töchter des Mondes ist genauso, wie sie Saphira und Luna beschrieben haben. Sie alle tragen das Mal des Mondes. Es gibt die eine Auserwählte in jeder Generation, in diesem Fall Saphira. Ich weiß nicht, inwieweit die heutigen Töchter des Mondes darüber Bescheid wissen, zumindest Saphira und Luna scheinen nicht allzu viel ihrer Legende zu kennen. Sie stammen ebenfalls aus Rumänien. Man sagt, dass all das hier in der Gegend passiert ist.

Die Segnung des Mondes fand an unserem See statt. Neben den auch ihnen bekannten Merkmalen zeichnet die Töchter des Mondes aber noch etwas aus. Sie haben einen ungewöhnlichen Reiz auf Männer, deswegen leben sie oft unglücklich, weil es kaum einem männlichen Wesen in ihrer Gegenwart gelingt, bei normalem Verstand zu bleiben. Das gilt für die normalen Menschen. Sie haben aber auch ungewöhnlich süßes Blut. Das haben wir ja schon mitbekommen.

Für einen Vampir ist das wie eine berauschende Droge. Es zieht sie an; wenn sie davon trinken, wollen sie nichts anderes mehr. So ist es gekommen, dass früher die Töchter des Mondes immer wieder von Vampiren entführt wurden. Sie haben sie gefangengehalten, doch sie konnten nie genug von ihrem Blut bekommen, so dass keine von ihnen überlebt hat. Als die Übergriffe immer mehr und heftiger wurden, haben die restlichen Überlebenden gehandelt und sind geflohen. Das ist der Grund, warum versucht wurde, die Legende geheim zu halten. In Venezuela leben keine Vampire, so dass sie über Jahrzehnte dort in Freiheit leben konnten und sich keiner mehr an sie erinnert hat. Die Mutter der beiden muss sehr viel Glück gehabt haben, als sie hier gelebt hat und nicht aufgefallen ist, aber die beiden haben die Legende wieder aus der Versenkung geholt.«

Calin steht auf und beginnt ebenso wie Gabriel, im Raum hin und her zu laufen, bis er wütend gegen eine Wand schlägt. Obwohl eine kleine Delle entsteht und der Putz abbröckelt, sagt keiner ein Wort. »Heißt das nicht nur, dass jetzt ein ruheloser Vampir hinter ihnen her ist, der wahrscheinlich gerade Maurice als Verstärkung holt? Sie werden dazu immer für alle Vampire anlockend sein.« Ovid und Graham nicken beide, und Gabriel räuspert sich. »Jetzt ist es keine Frage mehr, was Felicitas damals gesehen hat, was auf uns zukommt, ich habe mir noch nie so sehr gewünscht, sie hätte falschgelegen wie dieses Mal, denn das wird schlimm, was nun auf uns zukommt.«

# Kapitel 14

Nachdem Sora zu Hause angekommen ist, geht sie auf ihren Balkon und sieht zu, wie die Sonne aufgeht. Vlad hat sie nach Hause gebracht und ist gleich wieder zu Ovids Haus aufgebrochen, in dem nun Graham, Calin, Vlad und Gabriel darauf warten, dass Saphira und Luna aufwachen und die Wahrheit über sich und alle anderen erfahren. Es wurde noch nicht besprochen, was weiter geschehen wird. Sora hat noch mitbekommen, dass sich alle bei Gabriel in der nächsten Nacht treffen wollen, wo sicherlich Thema sein wird, was als Nächstes passiert.

Sora sieht auf, als sich der Himmel rot färbt und die Sonne den Mond vertreibt. Die Töchter des Mondes, wäre nicht ihre gefährliche Anziehung auf die Vampire, wäre es eine traumhaft schöne Legende. Sora ist natürlich nicht entgangen, wie schön die Schwestern sind. Ihre goldenen Haare, die strahlend blauen Augen, die feinen Gesichter. Sie sehen aus wie Engel, und Sora versteht, warum Vlad und Calin so von ihnen angezogen sind. Auch Nicola, die Sora heute immer wieder beobachtet hat, sieht aus wie eine Göttin. Lange rote Locken, diese dunklen Augen, ihr ganzes Auftreten strotzt nur so vor Selbstbewusstsein.

Neben all diesen Frauen kommt sich Sora so unbedeutend vor. Sie streicht ihre dunklen Locken nach hinten. Sie wird neben ihnen niemals zur Geltung kommen. Ihre Gedanken wandern zu Dorian, auch wenn er sie die ganze Nacht immer wieder beobachtet hat, ist sie sich sicher, dass sie für ihn neben diesen Traumfrauen wie ein unbedeutendes Küken wirkt. Sein Interesse im Kino lag sicher eher am Reiz des Verbotenen, wie bei ihr.

Die ersten Sonnenstrahlen treten hervor und scheinen auf die dicke Schneeschicht und in Soras Gesicht. Sie lächelt zufrieden, dankbar, dass sie diese Annehmlichkeit genießen kann, und verdrängt ihre Gedanken an den Mann, der das nie genießen können wird.

Als Saphira ihre Augen wieder öffnet, kommt es ihr vor, als hätte sie tagelang geschlafen. Sie findet sich in Calins Armen wieder, in einem kleinen Raum, in dem sie noch nie vorher gewesen ist. Sie probiert sich zu bewegen, doch Calin, der tief zu schlafen scheint, umklammert sie so fest, dass sie keine Möglichkeit hat. Sie blickt sich um und sieht in einem großen Sessel Vlad und Luna. Ihre Schwester liegt in Vlads Armen, und beide schlafen. Was ist hier los?

Sie spürt ihren brennenden Arm, und langsam kommen die Erinnerungen wieder. Hat sie das geträumt? Sie sieht das furchtbar verzerrte Gesicht des Mannes vor sich, der sie angegriffen hat. Die Zähne der schönen Nicola, das muss ein Traum gewesen sein. Aber wie erklärt sie sich ihre nicht zu übersehende Wunde am Arm oder die sichtbaren Spuren der Tränen auf Lunas Gesicht?

Saphira versucht erneut sich freizumachen, und dieses Mal öffnet Calin seine Augen. Sofort setzt er sich auf. »Alles okay? Geht es dir gut? Brauchst du etwas?« Verschlafen blickt er sie mit seinen schönen Augen an, die sie mittlerweile so gerne auf sich spürt. »Ja, ich brauche Antworten!« Sie sieht, wie sich sein Gesicht verzieht, doch sie ignoriert es, sie wird sich nicht mehr vertrösten oder umstimmen lassen.

»Saphira, du bist wach? Wie geht es deinem Arm?« Luna windet sich aus Vlads Armen, der dadurch auch wach wird und aufsieht. Als er aber bemerkt, dass Calin wach ist, schließt er seine Augen wieder und schläft weiter. Saphira nickt: »Es brennt etwas, aber es geht schon. Ich will jetzt einfach endlich nur ...« Calin unterbricht sie. »Die Ärztin kommt gleich, ich rufe sie sofort an. Lasst uns erst einmal frühstücken und dich untersuchen, alles andere folgt danach.« Er steht auf, Saphira wird sauer, nach allem will er es immer noch verhindern, dass Saphira die Wahrheit erfährt, das spürt sie genau. »Ich kümmere mich um alles.« Mit diesen Worten verlässt er das Zimmer, und Saphira blickt ihm wütend hinterher.

Luna hilft Saphira beim Duschen, sie sprechen nicht viel. Als Saphira sich ein einfaches Shirt und eine Jogginghose anzieht, die ihr Vlad gestern noch von Sora mitgebracht hat, sieht Saphira ihre jüngere Schwester ernst an. »Was denkst du?« Luna verschränkt die Arme, und Tränen steigen ihr in die Augen. »Ich weiß nicht, Saphira, was sie uns sagen wollen, was dir passiert ist. So wie du gestern gezittert hast, deine Wunde. Vlad hat mich gestern nur im Arm gehalten und gesagt, er wünschte, ich müsste das alles nicht erfahren. Vielleicht ist es auch besser, wenn wir es gar nicht wissen, meinst du nicht, dass man manche Sachen gar nicht hinterfragen sollte?«

Saphira streicht ihrer Schwester eine Strähne, die sich aus deren Zopf gelöst hat, hinter das Ohr. »Ich wünschte es mir mittlerweile, aber dafür ist es jetzt zu spät.«

Luna nickt und wendet sich ab, um zu duschen, während Saphira sich die Haare zu einem Zopf flicht. Luna hat recht. Wenn sie jetzt noch einmal die Wahl hätte, von alldem nichts zu erfahren, würde sie sich dafür entscheiden. Sie versteht, warum alle sie davor schützen wollten, aber nun, nachdem sie den Mann gesehen hat, Nicola gesehen hat, wie soll sie das noch verdrängen? Als Luna geduscht und sie ihren Vater angerufen hat, um Bescheid zu sagen, dass sie noch bei Ovid bleiben, will Saphira noch Marion anrufen, als Calin zu ihr tritt. Luna geht schon vor in die Küche. »Ich habe Marion schon gesagt, dass du krank bist, sie wünscht dir gute Besserung und du sollst dich ausruhen.«

Saphira legt das Telefon zur Seite. Calin wirkt nervös, an den leichten Ringen unter seinen Augen erkennt Saphira, dass er nicht viel Schlaf bekommen hat, und an dem auf sie gerichteten Blick, dass er sich Sorgen macht. »Was hast du, Calin? Warum willst du unbedingt verhindern, dass ich die Wahrheit erfahre? Ich verstehe, dass du nicht wolltest, dass ich überhaupt etwas erfahre, aber nun, nach dem, was ich gesehen habe, habe ich doch ein Recht, die Wahrheit zu erfahren! Wieso willst du sie mir immer noch nicht sagen?« Calin sieht sie einen Augenblick einfach nur an, dann kommt er näher und gibt ihr einen Kuss auf die Stirn.

»Du hast recht, ich will dir die Wahrheit nicht sagen, ich wünschte, ich müsste es nicht tun, aber du bist ein Teil dieser Wahrheit.« Er dreht sich um und geht in die Küche. Saphira sieht ihm hinterher.

Sie frühstücken gemeinsam mit Ovid und Adina, es wird kaum ein Wort gesprochen, und wirklich essen tut auch keiner. Viel zu sehr liegen ihnen die gestrigen Ereignisse im Magen. Als Saphira Adina gerade hilft, den Tisch abzuräumen, kommen Graham, Davud, Radu, Luca und Tolja ins Haus. Alle versammeln sich im Wohnzimmer, und

Luna und Saphira setzen sich auf eine Couch. Die anderen setzen sich auf die anderen Sitzgelegenheiten oder einfach auf den Boden. Adina geht in die Küche, doch Saphira entgeht ihr sehr ernster und besorgter Gesichtsausdruck nicht. Also wappnet sie sich innerlich für das Schlimmste, als sich Graham räuspert.

»Saphira, Luna, es tut jedem von uns von Herzen leid, dass ihr das jetzt alles so erfahren müsst; dass du erst angegriffen wurdest. Hätten wir früher schon die Information gehabt, wer ihr seid, wäre es gar nicht dazu gekommen. Damit ihr das Ganze versteht, muss ich weit ausholen. Aber bevor ich anfange, müsst ihr verstehen, dass all das, woran ihr nie geglaubt habt, als Märchen, eine alte Geschichte oder Legende von euch geschoben habt, wahr ist.« Saphira spürt Lunas unsicheren Blick auf sich, doch sie lässt ihre Augen auf Graham gerichtet. Sie will und muss jetzt alles erfahren.

Graham beginnt erneut von den Legenden zu sprechen, dass diese Geschichten, wie alle sie kennen, eben keine Mythen, sondern zum Teil wahr sind. Es gibt diese Welt, diese Legenden wirklich. In dem Moment, in dem er es erklärt, wirkt es für Saphira doch auf eine verrückte Weise auch logisch. Die ganzen Bücher, die über Vampire und die anderen Mythen geschrieben worden sind, müssen ja einen Ursprung haben. Dass diese ganzen Wesen nie ganz frei erfunden waren, erscheint ihr plötzlich nachvollziehbar.

Als Graham Luna und Saphira sagt, dass Vladan, Dorian, Catalina, Nicola, Tristan und Lucian Vampire sind, weiß Saphira nicht, ob sie loslachen oder losweinen soll. Natürlich hat sie es gewusst, sie hat ihre Zähne ja gesehen, doch es jetzt noch mal so klar und neutral vor Augen geführt zu bekommen versetzt sie trotzdem in Schrecken. Graham ist sehr geduldig und erklärt Saphira und Luna alles ganz genau. Von den verschiedenen Zirkeln, wie sie leben, dass sie normale Nahrung zu sich nehmen, sich aber auch von Menschenblut ernähren, dass es andere, noch gefährlichere Vampire gibt, wie eben den, auf den Saphira gestern getroffen ist. Dann erklärt er den beiden Schwestern, dass er recherchiert hat und was es mit ihrer Legende auf sich hat. Als er ihnen beiden sagt, dass sie wirklich zu der Mythenwelt gehören, dass ihre Geschichte, die sie zwar kennen, aber nie ernst genommen haben, wahr ist, reagieren Saphira und Luna gar nicht mehr. Viel zu viele Informationen, die ihr Leben ändern, brechen über sie herein. Er erklärt ihnen, warum die Vampire so auf sie reagieren, warum ihre Vorfahren ausgewandert sind und ihre Legende so geheim gehalten wurde. Da ist das erste Mal, dass Luna etwas dazu sagt.

»Aber sie ist ja nicht geheim gehalten worden. In Venezuela, auf der Insel, von der wir kommen, weiß jeder, was wir sind. Das bedeutet, wenn das alles wirklich stimmt, dass es auch mit dem Fluch stimmt, der auf uns Töchtern des Mondes lastet?« Als Luna »uns Töchtern des Mondes« sagt, bekommt Saphira eine Gänsehaut. Graham nickt leicht: »Ja, das hat Petru erwähnt, dass es selten eine glückliche Tochter des Mondes gegeben hat, stimmt das denn?« Luna nickt, und Tränen laufen über ihr Gesicht. »Es ist so, als würde das, was erzählt wird, wirklich stimmen. Zwar haben alle das Mal und sind auch schön, aber kaum eine findet ihr Glück.

Alle leiden unter den Männern, das beginnt schon früh, wenn die ersten Männer anfangen, sich um eine der Töchter des Mondes zu bemühen. Bei uns ist es unter den Männern und Familien sehr hoch angesehen, eine Tochter des Mondes zu heiraten. Es geht kaum einem Mann um die Person, sondern um das, was sie darstellt. Früher wurden die Töchter an die reichsten und angesehensten Familien übergeben. Heute darf zum Glück jede frei wählen, trotzdem sind sie oft unglücklich. Es gibt so viele Beispiele dafür.

Eine Tante von uns hat früh geheiratet. Sie hat den Mann geliebt, er sie auch sehr, aber er war wegen ihrer Schönheit krankhaft eifersüchtig, und das hat alles überschattet. Die Blicke der anderen Männer auf seine Frau haben ihn in den Wahnsinn getrieben. Er war sehr gewalttätig zu ihr. Eines Tages war sie einkaufen und hat eine alte Freundin getroffen, mit der sie sich verquatscht hat. Als sie viel zu spät nach Hause kam, ist ihr Mann durchgedreht. Er war fest davon überzeugt, dass sie bei einem anderen Mann war, und hat ihr vor blinder Wut ihre linke Gesichtshälfte mit heißem Öl verbrannt. Das ist nur eine von vielen Geschichten, und wenn sie glücklich mit einem Mann werden, geschieht etwas anderes Schlimmes.

So wie bei meiner Mutter, die so früh gestorben ist. Es scheint, als dürfe keine aus unserer Familie ihr Glück finden. Meine Mutter wollte, dass wir in ihrer Heimat aufwachsen, aber wir sollten, bevor das Werben und alles andere beginnt, hierher zu unserem Vater ziehen. Wir wollten aber Venezuela, unsere Familie und unsere Oma nicht verlassen. Deswegen haben wir ihn gebeten, uns noch länger dort zu lassen. Das hat sich dann im Nachhinein als Fehler herausgestellt.« Saphira hört Lunas zittrige Stimme, sie weiß, an welchen Abend ihre jüngere Schwester gerade denkt. Er wird für immer in ihre Erinnerungen gebrannt sein. Saphira spürt auch Calins Blick auf sich brennen, doch sie sieht weiter zu Graham, den diese Schilderungen auch zu schockieren scheinen.

»Wer sind die anderen drei, die wir schon gesehen haben? Sind das auch ... Vampire?« Saphira ist ihre offensichtliche Ungeduld egal. Sie will jetzt alles erfahren, und Graham scheint das zu verstehen. Er erklärt den beiden, dass die drei sogenannte »Wächter« sind. Dass sie über die verschiedenen Gruppen wachen, deren Hauptanliegen es ist, die Existenz aller Mythenwesen vor den Menschen geheim zu halten. Er schildert ihnen die einzelnen Fähigkeiten von Gabriel, Felicitas und Raphael. Saphira ist es unmöglich zu verstehen, wie jemand in der Lage ist, die Gedanken anderer Menschen zu lesen und zu beeinflussen, wie es Raphael kann. Noch grausamer erscheint ihr die Fähigkeit von Gabriel, der alleine mit einem Blick unvorstellbare Seelenqualen eines Menschen auslösen kann, was wohl das ständige Tragen seiner Sonnenbrille erklärt. Als Graham auf einen Pakt zu sprechen kommt, werden erstmalig alle im Raum etwas unruhiger, ein Umstand, den Saphira sofort registriert.

Sie schließt die Augen und wappnet sich innerlich, als Graham tief einatmet und beginnt, ihr zu erklären, was sie sind, was der Clan der Yasus darstellt. Dass all das, was sie an dem Abend am Lagerfeuer gehört hat, stimmt. Dass einige Männer aus ihrem Clan sich verwandeln, Nacht für Nacht, um ihre Familien vor den Vampiren zu schützen. Saphira öffnet ihre Augen wieder und sieht zu den Männern, die um sie herum versammelt sind. Luna neben ihr regt sich nicht mehr. »Ihr seid das, oder? Ihr seid das ... Rudel!« Keiner gibt ihr eine Antwort, bis Davud seinen Kopf hebt und ihr in die Augen sieht. Mittlerweile bemerkt Saphira seine verbrannte Gesichtshälfte kaum noch. »Ja, das sind wir. Wir sind das Rudel des Yasus-Clans. Calin ist unser Anführer, und wir werden nicht zulassen, dass diese Vampire zu nah an euch herankommen, das schwören wir euch!«

Saphira treten die Tränen in die Augen, das ist alles zu viel für sie. Diese ganzen so unwirklichen Geständnisse. Nicola ein Vampir, Calin ein Wolf, sie eine Tochter des Mondes. Luna neben ihr beginnt schneller zu atmen. Auch für sie bricht gerade eine Welt zusammen. Und das ist mehr, als nur so dahingedacht. Alles wird in Frage gestellt, die ganzen Geschichten, die man als Märchen abgestempelt hat, stellen sich als wahr heraus. Der Mann, den man liebt, ist jemand ganz anderes. Saphira wendet sich an ihre jüngere Schwester. Sie wünschte, sie könnte wenigstens ihr diese Situation ersparen, doch Luna scheint sich genau in diesem Moment etwas zu fassen. »Was genau bedeutet das?« Vlad blickt nur noch zu Boden, während Calin Saphiras Blick sucht, dem sie gekonnt ausweicht.

Graham erklärt ihnen, was es mit der Verwandlung auf sich hat, die diese Männer und Jungs jede Nacht durchmachen. Dass sie ausgeprägtere Sinne haben und von dem Pakt, der zwischen ihnen, den Wächtern und Vladans Zirkel besteht. Saphira ist mit dieser Informationsfülle überfordert. Ihr Verstand weigert sich, so viele Informationen zuzulassen.

»Ich muss an die frische Luft«, entfährt es ihr, und sie will aufstehen, als Graham ihr deutet zu warten. »Es ist jetzt Tag, das bedeutet, euch droht keine Gefahr. Du hast den ruhelosen Vampir gestern gesehen, Saphira. Er wird nicht aufhören euch zu jagen. Jetzt ist auch klar, wieso. Euer Duft, euer Blut ist wie eine Droge für sie.« Luna zuckt neben Saphira zusammen bei Grahams deutlichen Worten. »Wir gehen davon aus, dass er einen weiteren ruhelosen Vampir zu Hilfe holt. Sollte sich diese Vermutung bestätigen, bedeutet das, dass ihr in sehr großer Gefahr seid. Ich möchte, dass ihr das wirklich versteht. Wir schützen euch, aber es ist wichtig, dass ihr versteht, in was für einer Gefahr ihr euch befindet, damit ihr dementsprechend handelt.«

Saphira sieht zum Fenster, wo sie wieder dicke Schneeflocken entdeckt, die sich auf die Erde niederlegen. »Jetzt aber ist keine Gefahr, und ich brauche unbedingt frische Luft!« Ohne noch nach einer Erlaubnis zu fragen oder eine Bestätigung abzuwarten, geht sie direkt zur Tür und auf die Veranda von Ovids und Adinas Haus. Sie hört noch, wie Ovid Calin, der ihr folgen wollte, anweist, sie ein paar Minuten allein zu lassen. Saphira weiß nicht, wie lange sie da draußen auf der Veranda sitzt, tief einatmet und versucht, das eben Gehörte zu verarbeiten, was nicht funktioniert. Sie kann es nicht begreifen, nicht verstehen, das kann doch alles nicht real sein.

Es dauert eine ganze Weile, dann öffnet sich die Tür, und Calin setzt sich neben sie auf die Hollywoodschaukel. Er legt eine dicke Decke um Saphira, doch sie schaut einfach dem friedlichen Treiben des Schneefalls zu. Calin lässt sie weiter nachdenken, eine Zeitlang sitzen sie einfach nur da, doch dann flucht er leise und wendet sich ihr ganz zu. Er nimmt ihre Hand in seine und führt sie an seine Lippen, mit denen er einen sanften Kuss auf ihre Finger gibt. »Es tut mir so leid, Saphira.« Jetzt erst erwidert sie seinen Blick, das erste Mal, seit sie die ganze Wahrheit erfahren hat. Vielleicht hat sie es bewusst vermieden, ihn anzusehen, aus Angst, in ihm jetzt etwas anderes zu sehen. Nicht mehr den Mann, den sie noch heute Morgen angesehen hat, doch das ist nicht so. Sie sieht in seine mittlerweile so vertrauten Augen, sieht Angst und Unsicherheit darin. »Was tut dir leid?«, fragt sie leise nach.

»Es tut mir leid, dass ich nicht den Mann darstelle, den du erwartet hast. Dass ich etwas bin, was dich vielleicht anwidert, dir Angst macht. Ich liebe meinen Clan, meine Familie, das Rudel. Ich bin stolz darauf, was und wer wir sind. Doch jetzt, zum ersten Mal wünschte ich mir, es nicht zu sein, nicht wenn es dich von mir entfernt!« Seine Worte treffen sie. Er hat Angst, sie zu verlieren. Sie hebt ihre andere Hand und streichelt über seine Wange. »Ich sehe dich nicht anders«, das tut sie wirklich nicht. Vor ihr sitzt noch der Mann, in den sie sich verliebt hat, das alles ist nur zu viel, zu unreal.

»Ich kann das nicht glauben, das alles. Vampire, Wölfe, dass wir auch dazugehören, noch schlimmer, gejagt werden.« Calin unterbricht sie und legt seine Stirn an ihre. »Saphira, ich schwöre dir, bei allem, was mir heilig ist, ich werde nicht zulassen, dass jemand dir oder Luna etwas antut, hörst du? Hab keine Angst, ich werde niemanden an dich heranlassen!«

Saphira will gerade etwas antworten, als Adina herauskommt und beide bittet zum Essen hereinzukommen. Sie folgen Adina, und Saphira sieht, dass die anderen Jungs schon durch den Hintereingang verschwunden sein müssen. In der Küche sitzen nur noch Ovid, Cesar und Graham. Vlad und Luna kommen ebenfalls gerade die Treppe von oben herunter, auch Luna sieht schon etwas gefasster aus. Sie wird sich mit Vlad ausgesprochen haben. Adina hat sich viel Mühe gegeben und einen leckeren Auflauf zubereitet. Trotzdem fällt es Saphira schwer, etwas zu essen, als sie Graham darüber aufklärt, dass sie in der Nacht alle gemeinsam zu den Wächtern gehen, um dort die nächsten Schritte zu planen. Der Gedanke, nun allen gegenüberzutreten, ist für Saphira schrecklich. Sie hat nicht einmal Zeit, das alles sacken zu lassen. Nach dem Essen kommt eine Frau, an die sich Saphira noch vage erinnern kann. Sie muss Saphira gestern schon untersucht haben und verbindet ihren Arm neu. Sie scheint mit der Wundheilung zufrieden zu sein, aber das alles registriert Saphira nur am Rande. Sie müssen nach Hause, Anis wird sich sicher schon fragen, was los ist, dass seine beiden Töchter so lange wegbleiben. Ovid erklärt aber, dass er bereits mit Anis telefoniert hat und dieser es gar nicht schlimm findet, dass seine Töchter beide bei ihren Freunden sind.

Als sie sich schließlich verabschieden, zieht Adina Saphira noch einmal fest in ihre Arme. »Ich weiß, dass es schwer ist, sich an den Gedanken zu gewöhnen. Ich hatte selbst damit zu kämpfen, als ich das alles erfahren habe, aber es wird besser. Calin ist ein guter Mann, und er liebt dich so sehr.« Sie gibt Saphira noch einen Kuss. Etwas unsicher steht schließlich Vlad auch auf und sieht zu Luna, während Calin es gar nicht in Frage zu stellen scheint, dass er Saphira nach Hause begleitet.

»Kann ich dich bringen?« Vlads Unsicherheit bringt selbst Saphira zum Schmunzeln, und auch Luna lächelt. »Klar, ich bin doch immerhin ... deine Seelenverwandte.« Während sich auf Vlads Gesicht ein glückliches Lächeln ausbreitet, seufzt Calin neben Saphira leise auf, und sie bemerkt, dass Luna mittlerweile schon mehr Informationen erhalten hat als sie selbst. Sie verlassen das Haus. Calin und Vlad wollen zu Calins Jeep, doch Saphira zeigt zum Gehweg. »Ich würde lieber die paar Schritte laufen, ich brauche immer noch frische Luft.« Calin nickt, doch Luna und Vlad wollen lieber mit dem Auto fahren, so dass Calin und Saphira allein aufbrechen.

Sie sind keine zwei Schritte gegangen, da kann sich Saphira nicht mehr zurückhalten. »Okay, was bedeutet das mit den Seelenverwandten, was Luna erwähnt hat, erkläre es mir bitte!« Calin nimmt ihre Hand in seine und erklärt ihr mit vorsichtigen Worten, dass alle Männer, die zum Rudel gehören, früher oder später auf ihre Seelenverwandte treffen werden. Er beschreibt es als das Mächtigste, was man sich vorstellen kann. Sobald der Mann in Wolfsgestalt ist und auf sie trifft, spürt er diese Anziehungskraft, die nie wieder vergeht. Er kann von dem Moment an nicht mehr aufhören, an sie zu denken. Sie wird alles für den Mann, die Luft zum Atmen, die Seele, der Herzschlag.

Saphira denkt an Vlads Verhalten, als er auf Luna getroffen ist, und muss lächeln, ja, er war von Anfang an verrückt nach ihr. Ihr Magen zieht sich allerdings zusammen, als sie an Calin und ihre ersten Aufeinandertreffen denkt, wie abweisend er zu ihr war. Sie kommen in diesem Moment bei ihrem Haus an, und sie dreht sich zu ihm um. »Ich bin es nicht, oder?« Obwohl alles in ihr gerade anfängt zu schreien, bleibt sie ruhig, viel zu viel hat sie heute erfahren, als dass ihr jetzt noch etwas den Boden unter den Füßen wegziehen könnte. Calin blickt an ihr vorbei und steckt seine Hände in die Hosentaschen. »Ich hatte sofort Gefühle für dich, Saphira, vom ersten Augenblick an, sehr starke, ich war überzeugt, dass du es bist!«

Saphira verschränkt ihre Arme vor der Brust, sie hat das Gefühl auseinanderzubrechen. »Aber ich bin es nicht, oder?« Calin sagt nichts, er sieht sie auch nicht an, doch dann schüttelt er langsam den Kopf, und Saphira fällt in ein tiefes Loch. Calin hebt seinen Kopf wieder und tritt zu ihr, nimmt ihr Gesicht in seine Hände und zwingt sie so, ihn anzusehen. »Ich liebe dich, Saphira, mehr als alles andere, ich wusste nicht mal, dass ich zu solchen Gefühlen fähig bin ...« Saphira entzieht sich ihm entschlossen, und Tränen laufen ihr die Wangen herunter, es ist das erste Mal, dass er ihr seine Liebe gestanden hat. Genau jetzt, wo sie weiß, dass es nichts ändert.

»Jetzt liebst du mich vielleicht, Calin, bis du sie triffst!« Saphira dreht sich um und geht ins Haus und lässt Calin im Schneetreiben allein zurück.

# Kapitel 15

Sora sieht zu, wie ein Bild nach dem anderen aus dem Drucker kommt. Direkt nachdem sie aufgestanden ist und gesehen hat, was für ein schönes Farbenspiel die leichte Sonne und die herunterfallenden Schneeflocken gebildet haben, hat sie sich ihre Kamera geschnappt und hat das alles festgehalten. Sie ist immer weiter gelaufen, hat den zugefrorenen Fluss fotografiert, ein paar Kinder beim Schneemannbauen beobachtet und schöne Fotos gemacht, die ihre Freude dabei widerspiegeln.

Sora hat schon immer gerne Bilder gemacht, ihre Mutter hat sich viele davon in ihre Küche gehängt. Sie denkt, Sora hat ein Auge dafür, ganz besondere Momente einzufangen und sie für immer festzuhalten. Als Sora jetzt die Bilder sieht, weiß sie, warum sie diese Momente heute eingefangen hat, doch sie bezweifelt, dass es so eine gute Idee ist. Die Bilder sind schön geworden. Sie sitzt unschlüssig da, geht jedes einzelne durch, wiegt ihre Überlegungen ab und entschließt sich dann doch dazu, ihre Idee umzusetzen. Es hat nichts zu bedeuten, es ist einfach nur eine kleine Geste, sie sollte das nicht überbewerten, genauso wie er es nicht tun wird.

Sora steckt die Bilder in ein großes Kuvert und läuft die Treppe hinab. Ihr Vater ist vor dem Fernseher eingeschlafen, während ihre Mutter in der Küche Muffins backt. »Wohin willst du jetzt noch, Schatz? Es wird bald dunkel.« Sora gibt ihr einen Kuss und nimmt Vlads Autoschlüssel: »Bin gleich wieder da.« Mit dem Auto ihres Bruders fährt sie die Strecke, die sie zwar kennt, aber erst einmal gefahren ist. Ihr ungutes Bauchgefühl wird immer stärker, sie sollte das nicht tun. Was passiert, wenn es herauskommt? Doch irgendetwas in ihr will auch, dass die Person, für die sie die Bilder geschossen hat, die Aufnahmen sieht.

Sie hält vor dem beeindruckenden Gebäude und sieht sich vorsichtig um, im Grunde genommen ist es nicht notwendig. Das langsam schwindende Tageslicht bietet ihr noch den besten Schutz. Eigentlich will sie das Kuvert am Eisentor liegen lassen, doch bemerkt sie dabei, dass es offen ist. Also wagt sie sich auf das Gelände und sieht sich um. Alle Fenster sind mit dicken eisernen Rollläden geschlossen, es wirkt so, als würde hier keine Seele leben, doch Sora weiß es besser und geht schnell zur Eingangstür, wo sie das Kuvert auf die Steinstufen legt. »Für Dorian«, sie sieht noch einmal auf ihre krakelige Schrift, mit der sie das in Eile hingeschrieben hat. Sie will den Schutz des Tageslichtes nicht verlieren, deswegen dreht sie sich auch schnell um und verlässt dieses Grundstück, das Territorium ihrer Feinde.

Saphira sitzt schon fertig angezogen auf ihrem Balkon und sieht der Sonne dabei zu, wie sie das letzte trübe, winterliche Licht auf die Welt wirft. Sie ist gerade mal drei Stunden hier zu Hause gewesen, in der Zeit hat sich Anis ihren Arm sicherlich dreimal angesehen. Er glaubt an die Version eines Sturzes aus Unachtsamkeit, es tut Saphira weh, ihn so im Ungewissen zu lassen. Auch weil er denkt, sie gingen jetzt zu einer Feier, deretwegen sie und Luna sich extra etwas zurechtmachen mussten, obwohl sie beide dazu gar keine Lust hatten. Sie will ihren Vater nicht anlügen, ihm vorschwindeln, ihr gehe es gut, obwohl sie gerade am Durchdrehen ist. Andererseits will sie ihm auch nicht die Informationen antun, die sie erst vor ein paar Stunden erhalten hat.

Luna und sie kommen da jetzt nicht mehr heraus, doch Anis soll ohne dieses Wissen weiterleben. Saphira hat noch nicht einmal die Kraft gefunden, mit Luna alleine über die Geschehnisse zu reden. Natürlich sollte sie das tun, Luna wird genauso überfordert sein wie sie, doch Saphira will diese paar Minuten alleine nutzen, um sich ihre eigenen Gedanken zu machen.

Die Tatsache, dass sie jetzt weiß, dass Nicola, Vladan und die anderen dieses Zirkels Vampire sind, oder die Tatsache, dass der Mann, den sie liebt, und die anderen Männer, die sie in ihr Herz geschlossen hat, sich nachts in Wölfe verwandeln, schockiert sie. Das Wissen, dass nun einige Vampire hinter Luna und ihr her sind, stellt das andere allerdings gerade etwas in den Schatten. Saphira hatte schon Angst in ihrem Leben, in einer Situation sogar Angst um ihr Leben. Dieses Gefühl, das sie jetzt bedrückt, ist noch stärker, anders. Sie sieht in den

Wald, vielleicht wird sie gerade beobachtet? Vielleicht plant genau in diesem Moment jemand einen Angriff auf sie. Sie bekommt eine Gänsehaut, es fühlt sich an, als hielte ihr jemand ein Messer an den Rücken und könnte jederzeit zustechen. Zusätzlich bedrückt es Saphira, dass sie nicht die Richtige für Calin ist. Sie findet diese Vorstellung von einem Seelengefährten merkwürdig, sollte die Liebe nicht viel mehr von einem Gefühl als von einem Instinkt bestimmt sein?

Das Wissen, dass, egal wie sehr er sie jetzt liebt und wie sehr sie ihn liebt, irgendwann jemand kommt und das alles von einer Sekunde auf die nächste vergessen ist, raubt ihr ebenso den Verstand wie alles, was in den letzten 48 Stunden passiert ist. Als es unten klingelt, steht Saphira auf und sieht vorsichtig hinunter. Es scheinen alle dabei zu sein, Calin, Vlad, Davud, Radu, Luca und Tolja, zwei Wagen halten vor ihrer Einfahrt. Sie schließt die Augen und atmet tief ein, bevor sie langsam die Treppe hinuntergeht. Wie viel schlimmer kann es schon noch werden?

Sora legt sich auf ihr Bett und schaltet den Fernseher an. Das dient eher dazu, ihren Eltern zu zeigen, dass sie beschäftigt ist, wirklich fernsehen kann sie nicht. Vlad und die anderen sind vor ein paar Minuten aufgebrochen, um Saphira und Luna abzuholen. Sie werden sich alle bei den Wächtern treffen. Sora wollte sie begleiten, immerhin hat sie ja nun schon fast alles mitbekommen, doch Vlad hat das nur mit einem bösen Blick abgetan. Jetzt muss Sora hier warten, bis sie irgendwann mal etwas erfährt. Vlad wird sicher danach bei Luna bleiben. Da Sora immer die Klassenbeste war, hat sie eine Klasse übersprungen und ist nicht mehr auf Vlads Schule, so dass sie beide auch morgen in der Schule nicht sehen wird und sicher erst am Nachmittag etwas erfahren wird. Sie arbeitet bei ihrem Vater im Kiosk, sie könnte morgen früh nachsehen, ob Saphira wieder arbeitet. Sie bezweifelt es allerdings, bei dem Gesicht, das Calin heute gezogen hat, scheint noch viel zu klären zu sein, bevor Saphira wieder in den Alltag zurückkehrt. Was sie wohl heute alles besprechen? Ob sie jetzt neue Regeln aufstellen? Wie wollen sie die Situation mit Maurice klären? Sora wird immer unruhiger, vielleicht sollte sie einfach hinterherfahren; wenn sie erst einmal da ist, wird Vlad sie nicht nach Hause schicken.

Ihre Gedanken werden unterbrochen, als es klopft. Sie guckt automatisch zur Tür, erst als es noch einmal klopft, bemerkt sie, dass es vom Fenster kommt. Verwundert sieht sie dorthin und Dorian auf ihrem Balkon stehen, in seiner Hand ein paar ihrer Bilder.

Sora geht schnell zur Balkontür und öffnet sie. »Bist du verrückt geworden? Du darfst hier nicht sein!«, murmelt sie, während sie ihn hineinzieht. Dorian lacht und sieht sich in Soras kleinem Zimmer um: »Dir auch einen schönen Abend, Sora.« Erst jetzt realisiert sie, was sie da für eine Situation geschaffen hat, ein Vampir steht nun in ihrem Zimmer, sie ist schon bettfertig und trägt nur noch kurze Shorts und ein Top. Sie ist nicht einmal geschminkt, und ihre Haare fallen ihr unordentlich über die Schultern. Schnell verdrängt sie diese bescheidenen Gedanken wieder. Sie ärgert sich darüber.

Das größte Problem sollte doch sein, dass ein Vampir in ihrem Zimmer steht. Als Sora nicht reagiert, sondern einfach nur die Arme vor der Brust verschränkt, um sich nicht ganz so ausgeliefert zu fühlen, hält Dorian die Bilder hoch. »Ich habe die heute bekommen, es stand kein Name drauf, kein Vermerk, wer diese schönen Bilder gemacht hat, aber ich hatte da so eine Vermutung. Und wenn ich mich jetzt so umsehe, liege ich damit wohl richtig. Er geht zu ihrem Sideboard, über dem viele Bilder hängen, die sie über die Jahre fotografiert hat und die ihr am meisten bedeuten. »Ja, ich habe die heute gemacht, und irgendwie dachte ich, du würdest sie vielleicht gerne mal sehen, wegen dem, was du mir erzählt hast, dass du nie die Sonne sehen kannst.«

Sora versucht krampfhaft, es locker und unbedeutend klingen zu lassen, doch sie merkt selbst, dass es ihr nicht gelingt. Dorian dreht sich zu ihr um. »Sie sind sehr schön, ich komme mir vor, als wäre ich dabei gewesen, du hast ein Talent dafür, Fotos zu machen. Das bedeutet mir sehr viel, vielen Dank.«

Sora nickt und lehnt sich an den Schreibtisch ihm gegenüber, damit man nicht merkt, wie unangenehm ihr die Situation ist. »Musst du nicht auch zu diesem Treffen? Ich denke, ihr sollt da alle hinkommen?« Dorian nickt und kommt ein paar Schritte näher. »Ja, die anderen sind schon vorgegangen, ich habe gesagt, dass ich noch etwas zu erledigen habe. Ich wollte dir erst noch dafür danken, außerdem sind so alle anderen beschäftigt, und keiner merkt, dass ich hier bin. Ich muss jetzt auch los, dorthin. Ich dachte nur, vielleicht gibt es etwas, womit ich mich dafür bedanken kann?«

Sora will gerade sagen, dass dies nicht nötig sei, da fällt ihr etwas ein. »Nimm mich mit dahin!« Dorian sieht sie verwundert an: »Wohin?« Sora tritt nun begeistert näher: »Zu dem Treffen. Ich will dabei sein, ich habe schon überlegt, alleine ...« Sie kann gar nicht so schnell reagieren, wie Dorian plötzlich ganz nah bei ihr steht. »Sora, sieh mich an, wehe, du gehst nachts alleine raus. Bei dem Treffen hast du nichts verloren, es wird sicher nicht so problemlos ablaufen, und du solltest dir das nicht antun. Wenn du willst, kann ich dir später alles erzählen, aber du bleibst jetzt hier zu Hause. Du weißt nicht, wie gefährlich diese ruhelosen Vampire sind. Du darfst nach Sonnenuntergang nicht mehr hinausgehen!«

Sora ist es gerade egal, wie nah er bei ihr steht und wer da vor allem so nah bei ihr steht, sie hasst es, bevormundet zu werden. Vlad tut das schon ständig. »Stell dir mal vor, ich habe es bis zum heutigen Tag geschafft zu überleben, und bei mir um die Ecke wohnt gleich eine ganze Horde Vampire.« Fast unmerklich, doch für Sora trotzdem sichtbar zuckt Dorian bei ihren Worten zusammen, doch er wird nicht wütend, er fixiert sie mit seinen dunklen Augen. »Bitte versprich es mir. Maurice ist ein Ungeheuer, ich werde ab jetzt jede Nacht in deiner Nähe bleiben und über dich wachen, aber heute muss ich zu diesem Treffen, alle anderen sind da, und keiner kann dich beschützen.« Nun ist Sora erstarrt, er wird jede Nacht über sie wachen? Aber wieso sollte er das tun? Sie öffnet ihren Mund, um etwas zu erwidern, doch ihr fällt nichts ein.

Dorian beugt sich vor, sein anziehender Geruch benebelt sie so sehr, dass sie sich am liebsten ganz an ihn schmiegen würde, doch sie bleibt immer noch in dieser erstarrten Position stehen. Dorian scheint das zu genießen. Ganz sanft drückt er seine Lippen auf ihre Wange und zieht dabei ihren Duft ein. »Tu mir den Gefallen, du störrisches

Wolfsmädchen, und passe nur heute Nacht auf dich alleine auf!« Er entfernt sich ein paar Millimeter, und einen Augenblick sind sich ihrer beider Lippen ganz nah. Es ist fast wie ein unbändiger Drang, dem nachzugeben und sie zu vereinen. Auch

Dorian scheint das zu spüren, doch dann schaltet sich Soras Verstand wieder ein, und sie dreht ihren Kopf leicht weg. Was tut sie hier? »Ich muss los, pass auf dich auf.« Auch Dorian will aus dieser Situation heraus. Noch einmal treffen sich ihre Augen, und dann entschwindet er in die dunkle Nacht.

Saphira versucht sich auf die vorbeifahrende Landschaft zu konzentrieren, als sie mit Vlad, Dorian und Luna im Auto sitzt. Calin ist nicht einmal ausgestiegen, als sie zu ihnen hinausgekommen sind. Auch wenn sie weiß, dass es richtig ist, auch wenn sie diejenige war, die unter diesen Umständen ihn von sich gestoßen hat, so trifft es sie trotzdem, dass er es einfach akzeptiert. Sie fahren eine kleine Strecke und biegen dann in einen Waldweg ein. Es wird immer dunkler und der Wald immer dichter. Saphira kann nicht verstehen, wie Davud am Steuer überhaupt etwas erkennen kann, aber der scheint erstens den Weg sehr gut zu kennen und zweitens keinerlei Probleme zu haben, im Dunkeln etwas zu sehen. Saphira erinnert sich wieder an die von Graham erwähnten ausgeprägten Fähigkeiten, die sie besitzen. Davud hält vor einem alten Gemäuer, welches mitten in diesem tiefen Wald einfach nur unheimlich wirkt. Das Schloss von Vladans Zirkel liegt zwar auch mitten im Wald, aber es sieht doch noch etwas freundlicher aus. Es strahlt etwas Altes, Romantisches aus, während dieser Ort einfach nur düster ist. Als sie aussteigen, warten bereits Calin und die anderen auf sie.

Dieses Mal ignoriert er Saphira nicht, er muss wohl die Angst in ihren Augen gesehen haben, denn er nimmt sie zur Seite. »Alles klar bei dir?« Saphira nickt, doch dann beschließt sie, nicht mehr vor ihm die starke Frau zu spielen, die nichts so leicht aus der Bahn wirft, es hat eh keinen Sinn mehr. »Wird da drinnen irgendetwas ..., kann da etwas passieren?« Calin schüttelt den Kopf, während sie hinter den anderen ins Haus gehen. »Nein, es kann zwar unter Umständen etwas lauter werden, aber in erster Linie geht es darum, dich und Luna zu beschützen, es kann dir nichts passieren. Bleib aber trotzdem die ganze Zeit bei mir!«

Sie treten ein, und Saphira staunt über das riesige Gebäude. Anders als bei Vladans Zirkel, wo alles gemütlich und stilvoll eingerichtet ist, sind hier die Wände nicht einmal verputzt. Alles ist aus altem grauen Stein, es wirkt wie in einem Verlies. Hier und da hängen ein paar Bilder, die sicher einen großen Wert haben, aber Saphira hat nicht die Geduld, sich diese anzusehen. Sie sind einfach eingetreten, die Tür war offen, auch jetzt auf dem langen Flur, den sie entlanggehen und der nur von ein paar Fackeln beleuchtet wird, begrüßt sie niemand. Saphira läuft, so eng es geht, neben Calin, es ist unheimlich hier. Am Ende des Flures ist eine mit rotem Samt überzogene Tür. Calin öffnet diese, und sie betreten einen großen Raum. Saphiras Blick fällt sofort auf einen riesigen Tisch.

Auf der einen Seite des Tisches sitzen bereits Vladan, Nicola, Catalina, Tristan und Lucian. Daneben stehen Gabriel, Felicitas und Raphael. Saphira versucht zu verdrängen, was für ungeheure Kräfte die drei haben, und blickt zu Nicola, die sie unsicher ansieht. Saphira ist natürlich etwas verängstigt, da sie nun weiß, wer Nicola ist. Doch als sie in Nicolas besorgtes Gesicht schaut, vergisst sie, was diese ist. Sie sieht in ihr nur noch ihre Freundin, die ihr gestern das Leben gerettet hat, und geht auf sie zu.

Als Nicola das bemerkt, steht sie auf und umarmt Saphira. »Hey, geht es einigermaßen, wie geht es deinem Arm? Ich habe mir solche Sorgen gemacht, dass ich gar nicht geschlafen habe.«

Saphira löst sich von Nicola und lächelt den anderen zu, die zwar erstaunt, aber auch beruhigt über Saphiras Reaktion auf sie scheinen. »Es geht schon wieder, tut nicht mehr so sehr weh.« Erst jetzt bemerkt Saphira, dass sich Calin und das Rudel auf die andere Seite des Tisches begeben. Es soll wohl offensichtlich sein, dass die beiden Parteien nicht zusammengehören.

»Schön, euch beide bei uns begrüßen zu dürfen. Ich bin Gabriel, das sind Felicitas und Raphael.« Der ältere Mann mit den langen grauen Haaren tritt vor und reicht Luna und Saphira die Hand. Auch wenn die Sonnenbrille die Funktion seiner Fähigkeiten mit den Augen einschränkt, traut sich Saphira nicht direkt ihn anzusehen. »Setzt euch doch und bedient euch.« Er deutet auf den Tisch, der mit so viel Essen versehen ist, dass Saphiras Magen knurrt. Sie hat seit dem Ereignis kaum etwas gegessen, und das macht sich bemerkbar. Neben Calin und Vlad sind noch zwei Stühle frei. Auch wenn es Saphira nicht passt, sich der hier so offensichtlichen Trennung der Gruppen zu fügen, so setzt sie sich zu Calin. »Du solltest etwas essen, Saphira, du brauchst Kraft, um die nächste Zeit gut zu überstehen.«

Verwundert sieht sie zu Raphael, als er sie anspricht, nachdem sie sich gesetzt hat. Bis ihr einfällt, dass er Gedanken lesen kann und ihren Hunger sicher bemerkt hat. Nein, er kann jeden Gedanken von ihr lesen, Saphira spürt, wie sie leicht rot wird, das fühlt sich so an, als gäbe man seine Seele preis. Sie versucht schnell an etwas Unbedeutendes zu denken, doch Raphael lacht nur auf. »Bemühe dich nicht, man lernt mit den Jahren, bestimmte Gedanken zu ignorieren.« Der dunkle Mann zwinkert ihr zu, und seine weißen Zähne blitzen auf. Calin neben ihr stöhnt genervt auf, er scheint das schon gewohnt zu sein. Er deutet mit seinem Kopf auf den Tisch, um ihr zu zeigen, sie soll sich etwas nehmen. »Er hat recht. Bitte iss etwas, du brauchst die Kraft. Wer weiß, was alles auf uns zukommt.«

Saphira sieht, dass Vlad, Lucian, Davud, Tristan und auch Luna sich etwas auftun, und bedient sich letztlich ebenfalls. Gerade als sie anfangen will zu essen, wird die Tür erneut aufgemacht und Dorian betritt den Raum. »Sorry, hat etwas länger gedauert«, verkündet er locker in die Runde und lässt sich neben Vladan auf dem Stuhl nieder, dabei schenkt er Saphira und Luna ein unverschämt anziehendes Lächeln. Saphira hat das Gefühl, dass einige die gespannte Atmosphäre ernster nehmen als andere. »Das glaube ich jetzt nicht, Dorian!« Raphael beginnt lauthals zu lachen, und Dorians Lächeln verschwindet. »Geh mir nicht auf den Sack, Raphael!«, knurrt er schon fast zurück, doch Raphael kriegt sein Grinsen nicht mehr aus dem Gesicht. »Mit euch wird es nie langweilig!« Gabriel räuspert sich, und alle im Raum werden ruhig und sehen zu dem alten Mann, der sich in der versammelten Runde umsieht.

»Mittlerweile sind wir alle auf dem Laufenden über die neuesten Ereignisse. Was passiert ist, lässt sich nicht mehr ändern, wir können nur dafür sorgen, dass sich das alles nicht noch zu einer größeren Katastrophe entwickelt. Wenn unsere Vermutungen zutreffen und sich der ruhelose Vampir an Maurice wendet, wisst ihr, was uns bevorsteht. Wenn er erfährt, dass die beiden hier unter unserem Schutz leben, wird das für ihn nur ein größerer Anreiz sein. Ihr alle kennt die Geschichte, wo er vor 200 Jahren mit einer Horde wilder Vampire in das Gebiet meines Bruders eingedrungen ist. Sie haben innerhalb weniger Stunden alles Leben vernichtet, das dort zu finden war. Ich war lange auf der Suche nach ihm, nachdem er meinen einzigen Bruder aus reiner Rachsucht getötet hat.

Es wird erzählt, er habe sich schon lange vor diesem Tag von einer Zauberin eine Art Schutzmantel geben lassen, so dass er selbst für mich nicht erkennbar ist. Felicitas sieht nichts von ihm, und Raphael könnte nie seine Gedanken erkennen oder manipulieren. Das alles macht ihn noch viel gefährlicher, als er ohnehin schon ist.

Ich werde morgen aufbrechen und einen alten Freund aufsuchen, der etwas Kontakt zu ruhelosen Vampiren hat. Wenn jemand etwas von einem geplanten Aufstand weiß, dann er. So lange und auch für die kommende Zeit möchte ich euch bitten, alle bisherigen Streitigkeiten beizulegen. Diese Situation ist für alle gefährlich. Ich hoffe, das ist jedem bewusst; wenn sie angreifen, machen sie vor niemandem Halt. Für die Zeit solltet ihr zusammen über das Gebiet wachen. Ich habe gestern gesehen, wie gut das funktionieren kann, als ihr probiert habt, den ruhelosen Vampir zu bekommen, und ihr habt gesehen, wie schwer es bei einem Einzelnen ist.«

Zu Saphiras Verwunderung nicken Calin und Vladan zustimmend. Egal wie groß der Hass beider aufeinander ist, sie scheinen zu wissen, wie groß die Gefahr ist, dass sie das fürs Erste beiseitelegen. Saphira wird immer unwohler, ihr Herz schlägt bis zum Anschlag, als sie begreift, in welcher Gefahr sie sich wirklich befinden. »Die Stärke von Maurice ist allen bekannt, aber jeder einzelne ruhelose Vampir ist schon eine Gefahr, weil sie es gewohnt sind, in den Wäldern zu überleben. Sie haben keine Hemmungen und sind unberechenbar, also müsst ihr so vorsichtig sein wie noch nie.

Ein Einzelner ist schon eine Gefahr; wenn sich alles bewahrheitet und sie einen Aufstand planen ... stehe Gott uns bei!«

## Kapitel 16

Saphira legt sich erschöpft in ihr Bett. Diese ganzen neuen Informationen beherrschen dermaßen ihre Gedanken, dass sie nicht mal weiß, wo sie anfangen sollte drüber nachzudenken. Alles geht ihr durch den Kopf, Calin, die Wölfe, die Wächter, die ruhelosen Vampire. Maurice, dem offenbar selbst diese starken Wesen zusammen keine Bedenken bereiten, und letztlich auch ihre eigene Legende. Saphira fasst an die Stelle, wo ihr Muttermal ist, sie kann nicht glauben, dass es wirklich wahr ist. Dass alle Geschichten, die sie jemals erzählt bekommen hat, wirklich passiert sind. Wusste ihre Mutter davon? Wie viel weiß ihre Oma wirklich? Saphira beschließt, bald mit ihr darüber zu reden und noch mehr in Erfahrung zu bringen. Wenn das alles stimmt, dann lastet wirklich ein Fluch auf ihnen, und so wie die Lage gerade mit Calin ist, erscheint ihr das nicht mal abwegig.

Sie haben nicht mehr miteinander geredet. Nachdem sie geklärt hatten, dass die Grenzen für unbestimmte Zeit nicht mehr existieren, da sie sich jede Nacht die Sicherung des Gebietes einteilen, sind sie aufgebrochen. Saphira hat gemerkt, dass Calin sauer war, als sie klipp und klar gesagt und gezeigt hat, dass sie auch weiterhin Kontakt zu Nicola und den anderen halten will. Nicola und Catalina haben allen, auch Gabriel, der ebenfalls etwas skeptisch war, versichert, dass es ihnen nicht dieselbe Schwierigkeit bereitet wie den ruhelosen Vampiren, dem süßen Duft des Blutes von Luna und Saphira zu widerstehen, da sie schon immer kontrollierter leben, als ein ruheloser Vampir es tut, und es eine Sache der Gewohnheit ist. Es wurde dann abgemacht, dass Nicola zu Saphira zu Besuch kommen darf. Keiner der Anwesenden hat in Erwägung gezogen, Saphira zuzugestehen, sich in der Nacht noch alleine draußen aufzuhalten.

Normalerweise hätte Saphira sicher protestiert, doch die Angst und die Müdigkeit, die sie in sich trägt, aufgrund solch zahlreicher neuer Begebenheiten haben sie den ganzen Abend still zuhören lassen. Nachdem sie dann Luna und Saphira abgesetzt haben, wollte Calin noch mit ihr sprechen, aber sie hat ihn gebeten, sie einfach das alles erst einmal verarbeiten zu lassen. Auch wenn sie ihm ansehen konnte, dass er es nicht gerne getan hat, hat er sie doch gelassen.

Saphira hört ein Geräusch, sofort schrillen bei ihr alle Alarmglocken los. Sie sieht sich panisch um, doch es gibt nichts, womit sie sich verteidigen könnte. Wobei sie gar nicht weiß, wie sie sich gegen einen Vampir verteidigen sollte. Sie steht auf und geht zum Fenster und erschrickt, als sie Vlad entdeckt, der gekonnt die Regenrinne hochklettert. Sofort beruhigt sich ihr Puls wieder, und sie tritt auf den Balkon, auf den er nun klettert. »Hey, wieso schläfst du nicht? Du solltest dich ausruhen!« Saphira zieht die Augenbrauen hoch: »Du doch auch, oder? Wie schafft ihr es eigentlich, Nacht für Nacht nicht zu schlafen?« Vlad zieht seine Jacke aus und hängt sie über Saphiras Schultern. »Wir schlafen schon, mit der ersten Verwandlung ändert sich einiges in unseren Körpern. Unsere Sinne werden stärker, und wir brauchen nicht mehr so viel Schlaf. Wir schlafen jede Nacht, wir wechseln uns ab, und jeder schläft 3–4 Stunden, das reicht uns schon. Für uns ist das, wie wenn ihr 7–8 Stunden schlaft. Wir können auch mal ein, zwei Tage ohne Schlaf auskommen.«

Saphira hört ihm interessiert zu und zeigt dann auf den Wald. »Wer ist jetzt noch draußen?« Vlad zuckt die Schultern. »Alle, außer Luca und ich. Calin besteht darauf, weil wir die letzten Nächte nicht geschlafen haben, dass wir uns etwas hinlegen, morgen ist wieder Schule. Es ist unsinnig, genau jetzt brauchen wir alle. Wir müssen das Gebiet momentan so aufmerksam beschützen wie noch nie. Davud und Radu bewachen euer Haus, und ich bin da. Calin und Tolja treffen sich mit den Blutsaugern, um die Einteilung zu machen.«

Saphira sieht wieder in den Wald. »Das heißt ... sie sind jetzt da als ... Wölfe?« Vlad lacht und pfeift einmal ganz leise. Gerade will Saphira sagen, dass das sicher niemand gehört hat, da tritt aus dem Wald ein Wolf. In der Dunkelheit der Nacht kann Saphira nicht genau die Fellfarbe erkennen, aber sehr wohl, dass er größer als ein normaler Wolf ist, um einiges größer. »Wer ist das?«, flüstert Saphira, und Vlad lacht immer noch. »Davud, er ist sicher stinksauer, dass ich gepfiffen habe. Er hasst das, er sagt, wir sind keine Hunde.« Saphira versucht etwas Genaueres zu erkennen, doch es ist zu dunkel. »Was wäre, wenn ich jetzt da unten stände, würde er mich angreifen?« Vlad sieht sie überrascht an: »Wieso sollte er das tun?« Saphira kann nur die Schultern zucken, als wüsste er das nicht: »Weil er ein Wolf ist?« Vlad schiebt sie in ihr Zimmer, hebt noch einmal die Hand zu dem Wolf, der im Garten steht, und schließt hinter ihnen die Balkontür.

Als sie in Saphiras Zimmer sind, übergibt sie ihm wieder seine Jacke. »Es würde nie etwas passieren. Wenn wir uns verwandeln, schaltet sich ja nicht unser Geist ab, im Gegenteil. Falls du denkst, wir werden dann zu Tieren und uns beherrschen nur noch die Triebe, dann täuschst du dich. Wir denken ganz normal weiter. Keiner würde dich, Luna oder sonst jemanden angreifen. Nur zum Schutz kämpfen wir. Jeder von uns würde sein Leben für eure Sicherheit geben.« Seine Worte treffen Saphira, sie hätte sie nicht so einschätzen sollen, und sie umarmt den Freund ihrer Schwester. »Ich weiß, es tut mir leid.« Er gibt ihr einen Kuss auf die Wange. »Kein Problem, du musst erst einmal zur Ruhe kommen. Ich weiß, dass alles gerade zu viel für dich und Luna ist.« Saphira geht in ihr Bett zurück, während Vlad zur Verbindungstür geht. »Ich versuche es«, verspricht sie, und er blickt noch einmal besorgt zu ihr. »Gute Nacht.«

Am nächsten Tag sollte Saphira sich ausruhen. Marion erwartet sie noch nicht, aber als Luna, Vlad und Luca alle sehr müde zur Schule aufbrechen und Anis sich auch schon auf den Weg zur Arbeit macht, beschließt Saphira im Laden vorbeizufahren, bevor sie mit ihren vielen Gedanken ganz allein ist. Sie sieht gar nicht zur Werkstatt hinüber, als sie parkt und in den Bücherladen geht. Zwar ist Marion nicht begeistert und fragt Saphira regelmäßig, ob es ihr wirklich schon so gut geht, da sie noch sehr blass um die Nase ist, doch Saphira beschwichtigt sie und frischt die Regale etwas auf. Ältere Bücher werden in eine hintere Abteilung verlegt und die neuen Romane einsortiert, Saphira tut die Ablenkung gut. Sie kommt bei der Tätigkeit zur Ruhe. Auch wenn sich ihre vielen Gedanken nicht unterdrücken lassen, so entspannt sie sich doch langsam.

Etwas neidisch beobachtet sie, wie die Kunden und auch Marion fröhlich und unbeschwert lachen und sich über den neuesten Tratsch aus der Promiwelt unterhalten. Keiner von ihnen ahnt, in was für einer Gefahr sie alle gerade stecken, und sie muss daran denken, dass sie selbst vor ein paar Tagen noch so unbeschwert war. Saphira denkt an die Geschichte von Gabriel, wie Maurice vor einiger Zeit schon einmal eine ganze Gegend niedergemetzelt hat. So etwas darf hier in Barnar nicht passieren.

Am Mittag kommt Sora in das Geschäft, um Saphira von der Arbeit abzulenken, und geht mit ihr zu Mittag essen. In dem Moment, in dem sie aus dem Laden kommen, steht Cesar vor der Werkstatt und unterhält sich mit dem Gemüsehändler. Als er sie erblickt, winkt er sie zu sich herüber. Saphira will eigentlich gar nicht die Straße überqueren, doch Sora hakt sich bei ihr ein, und sie stellen sich zu Cesar, der sich schnell vom Gemüsehändler verabschiedet und sich dann den beiden zuwendet. »Wohin, ihr Hübschen?« Er zieht mahnend die Augenbrauen hoch, und Sora stemmt einen Arm an die Hüfte.

»Was soll das werden? Ein Verhör? Spielst du jetzt hier den Aufpasser?« Cesar lacht verschmitzt, dabei wird seine Ähnlichkeit zu seinem älteren Bruder unverkennbar. »Einen Versuch war es wert. Calin musste in die andere Stadt, Ersatzteile holen, und ich sollte ein Auge auf euch haben, also was habt ihr vor?« Saphira weiß nicht, ob sie diese Beschützernummer süß oder zu viel finden soll. »Etwas essen gehen, großer Bewacher. Ist uns dies gestattet?« Cesar schnalzt mit der Zunge und zwinkert zu ihnen. »Ich weiß nicht so ganz, hmm, wo denn? Bei den Barneys?« Sora nickt und knufft ihn leicht am Arm. »Sagen wir, wir bringen unserem Bewacher als Bestechung nachher einen Barneys Burger mit ... was denkt du dann?« Cesar lacht nun laut und legt den Arm um Sora, dabei küsst er liebevoll ihre Wange. »Du wusstest schon mit fünf, wie du mich rumkriegst. Okay, abgemacht, aber zu Barneys und zurück, keine Abstecher, oder ich muss mich wieder in deinem Kleiderschrank verstecken und dabei deine schönsten Kleider demolieren.«

Sora knufft ihn erneut. »Das ist nicht lustig, Cesar, ich werde dir das nie verzeihen!« Cesar lacht, und Sora gibt ihm noch einen Kuss auf die Wange, während er Saphira zuzwinkert und die beiden Frauen losgehen. Saphira mag das Vertraute, das zwischen ihnen allen herrscht, man spürt, dass sie eng miteinander aufgewachsen sind und sich viel bedeuten.

Im Barneys angekommen, bestellen sie sich die berühmten Burger mit Pommes, und Saphira erzählt Sora, was auf dem Treffen gestern passiert ist. Sora hört interessiert zu. Als Saphira endet, lehnt Sora sich zurück. »Es ist schön, dass sie in dieser Sache zusammenhalten. Wenn ich nur den Namen Maurice höre, könnte ich meilenweit rennen!« Sie verzieht ängstlich das Gesicht: »Die nächste Zeit wird sicher nicht leicht, die ständige Angst liegt allen im Nacken, die Nerven der Männer werden immer angespannter werden. Ich bete, dass alles gut geht.« Saphira sieht sie an, irgendetwas verschweigt Sora. »Wie kommt es eigentlich, dass du nicht so einen Hass auf Vladans Zirkel hast wie die anderen?« Soras Augen werden größer, als sei sie bei etwas erwischt worden. Doch dann sieht sie Saphira fast flehend an.

»Du bist die Einzige, der ich das erzählen kann, die Person, die einigermaßen neutral zu allem steht. Du musst mir schwören, es niemandem zu erzählen.« Saphira bekommt zwar sofort ein ungutes Gefühl, doch sie verspricht es Sora. Als diese ihr dann von Dorian erzählt, von ihrem Treffen einmal auf dem Rückweg von ihrem Zuhause, im Kino und gestern Nacht bei Sora, wird Saphira klar, warum Raphael solche Bemerkungen gemacht hat.

Saphira spürt, wie sehr das Ganze Sora belastet, und als diese endet, nimmt sie über dem Tisch ihre Hand. »Du magst ihn, habe ich recht?« Sora sucht nach Worten. »Schon, ich meine, er ... ich denke ständig an ihn, aber vielleicht ist das auch eher die Neugierde. Verstehe doch, wenn jemand davon erfährt, dass wir uns kennen ... das wäre ein Alptraum!« Saphira nickt, sie versteht Soras Bedenken, die paar Wochen haben ihr schon gezeigt, wie groß der Hass zwischen den beiden Parteien ist.

»Aber du wirst ihn wiedersehen?« Sora schüttelt den Kopf: »Nein, ich denke nicht, es wäre nicht richtig.« Saphira wird etwas wütend auf diese ganze Situation. »Aber wieso, wenn du ihn magst? Lass dich doch nicht von dieser alten Feindschaft davon abhalten, ihn wiederzusehen, wenn du ihn magst und er dich.«

Sora lacht bitter auf. »Saphira, er ist ein Vampir, egal wie sympathisch ich ihn finde und auch wenn ich mich zugegebenerweise von ihm angezogen fühle, es ist unmöglich. Außerdem, was sollte er mit mir wollen? Ich bin gar nichts neben euch Traumfrauen.« Saphira drückt ihre Hand. »Du bist wunderschön und dein Herz noch viel schöner, und das ist alles, was man sich erträumen kann.« Sie lehnt sich zurück und seufzt erschöpft.

»Lass dir eins gesagt sein, seit zwei Tagen weiß ich ... nichts ist unmöglich!«

Den ganzen restlichen Nachmittag geht Saphira die Sache mit Dorian und Sora nicht aus dem Kopf, sie hat das Gefühl, er hat auch Interesse an Sora, wieso hätte er sonst den Kontakt zu ihr suchen sollen? Für ihn ist es ein ebenso großes Risiko. Sie beschließt Nicola später etwas auszufragen, sie wollte kurz nach Sonnenuntergang zu ihnen kommen. Als sie später aus dem Laden tritt und zu ihrem Auto geht, kommt Calin aus der Werkstatt auf sie zu. »Hey, wie geht es dir?« Saphira hasst diese Distanz, die plötzlich wieder zwischen ihnen herrscht, aber es war schon die ganze Zeit ein stetiger Wechsel bei ihnen. Von einer Sekunde auf die andere war Calin ganz am Anfang abweisend zu ihr, dann sind sie zusammengekommen und konnten sich nicht mehr trennen, jetzt wieder diese Distanz, auch wenn sie genau weiß, es ist besser so, letztlich bleibt ihnen keine Wahl. »Es geht schon etwas besser, danke!« Saphira versucht, ihm nicht in seine schönen Augen zu sehen, die Sehnsucht darin vergrößert ihre eigene nur noch mehr. Er hebt ihr Kinn an. »Du fehlst mir, ich weiß, dass ich jetzt gerade nicht verlangen kann, dass wir uns richtig darüber aussprechen und eine Lösung finden, aber wenn das alles geklärt ist, wenn du das alles langsam verarbeitet hast ...«

Saphira unterbricht ihn: »Aber es ändert doch nichts an der Situation, Calin!« Er senkt seine Lippen auf ihre und gibt ihr einen kurzen Kuss auf die Lippen, den Saphira am liebsten ausgedehnt hätte, doch ihr Verstand weigert sich, ihrem Herzen zu folgen. »Es ändert auch nichts daran, dass ich dich liebe!«, flüstert er und sieht sie bittend an.

Saphira hasst es, jetzt die Starke sein zu müssen. »Ich liebe dich auch, Calin ...« Sie stockt, Tränen treten ihr in die Augen, darüber, dass sie ihm dies das erste Mal in so einem traurigen Augenblick sagen muss, aber er scheint es zu verstehen und wischt die ersten Tränen, die ihre Augen verlassen, mit seinem Daumen weg. »Aber ich will nicht riskieren, dass es noch mehr wird, noch fester, und du dann jemanden triffst, dem von da an dein Herz gehört. Du bist dann glücklich, aber mich würde es zerstören«, gibt sie zu. Calin nimmt ihr Gesicht nun ganz in seine Hände. »Ich …«, er stockt. Saphira sieht ihm an, dass er sagen will, dass dies nicht passieren wird, aber er kann es nicht, er kann dafür keine Garantie geben, wie sollte er? »Du weißt doch aber nicht, ob es passiert, ich will nicht mehr ohne dich sein!«, lenkt er schließlich ein. »Aber du weißt auch nicht, ob es nicht passiert? Es ist alles so …!« Calin gibt ihr einen Kuss auf die Stirn.

»Das meine ich, es ist einfach im Moment alles zu viel, du musst zur Ruhe kommen, auf andere Gedanken kommen. Ich weiß was, ich muss zu einem Baugeschäft und danach ein paar Sachen für meine Wohnung besorgen ... so etwas tut ihr Frauen doch gerne.« Er grinst, und Saphira haut ihm leicht auf die Brust, seine komischen Sprüche kann er sich immer noch nicht verkneifen.

»Okay, ja, ist wahrscheinlich nicht verkehrt, ich brauche auch noch ein paar Sachen, vielleicht ist das keine schlechte Idee.« Calin sieht sie etwas erleichtert an. »Saphira, ich weiß, du ... dir ist das alles zu viel, ich verstehe das auch, aber lass mich einfach in deiner Nähe sein, sonst fehlt etwas. Ich hole dich morgen um 9 Uhr ab.« Mit diesen Worten dreht er sich um und geht zurück zur Werkstatt. Saphira sieht ihm hinterher. Sie sollte versuchen, ihm ganz aus dem Weg zu gehen, doch er hat recht. Sie will genauso in seiner Nähe bleiben, auch wenn es falsch ist.

Zu Hause legt sie sich noch etwas schlafen, bis dann Nicola kommt. Ihr Vater geht schlafen, und Luna lernt für die Schule, so dass Nicola und Saphira sich gemütlich auf die Veranda setzen und Saphira beginnt, Nicola über Dorian auszufragen. Bereitwillig erzählt ihr Nicola, dass Dorian, so wie die meisten Vampire, keine Bindungen eingeht. Sie genießen ihre Lebensart viel zu sehr.

Es ist selten, dass sich jemand eine Gefährtin nimmt, so wie es Vladan getan hat. Wenn es aber dazu kommt, ist diese Bindung so stark, dass es für normale Menschen gar nicht nachvollziehbar ist. Saphira muss lachen. »Hast du schon vergessen? Ich bin offenbar kein normaler Mensch.« Nicola streichelt ihr über den Arm: »Du bist etwas Besonderes, Saphira, so wie wir alle. Jeder unterschiedlich und doch ganz speziell.«

Saphira sieht zum Wald. »Ist schon jemand hier, um uns zu bewachen?« Nicola sieht ebenfalls in die Richtung: »Nein, sie umkreisen alle das Gebiet, aber es kommen welche von ihnen näher. Ich spüre und höre sie auch. Ich weiß also, wann wir aufpassen müssen, damit sie unser Gespräch nicht belauschen. Was ist mit dir und Calin? Gestern hat es gewirkt, als sei alles in Ordnung, ich meine, der lässt dich ja keine zwei Sekunden aus den Augen.« Saphira erzählt Nicola, wie es gerade zwischen ihnen beiden steht. Dass Saphira weiß, dass er nicht für immer bei ihr bleiben wird.

Nicola sieht sie mitfühlend an: »Ich kenne mich wirklich nicht so genau bei den Wuffis aus ...«, Saphira zieht die Augenbrauen hoch, und Nicola muss lächeln, »aber er scheint dich wirklich sehr zu lieben. Wer hätte gedacht, dass ich mal für einen von ihnen spreche? Aber wenn er dir etwas bedeutet und er dich glücklich macht, dann wird er wohl gut für dich sein.«

Saphira kämpft wieder mit den Tränen. »Ist er auch, aber nicht für immer. Soll ich es jetzt genießen, aber jeden Tag Angst haben, dass er sie trifft, seine Seelenverwandte?« Nicola schweigt, auch sie weiß darauf anscheinend keine Antwort. Dann sieht sie zum Wald. »Ich wünschte, du hättest es im Moment nicht so schwer. Ich komme morgen Abend wieder, ich gehe mal langsam, ein Wuffi kommt.« Saphira lächelt. »Kannst du sie auseinanderhalten?« Nicola steht langsam auf. »Klar, ich kenne sie ja schon lange genug. Calin ist der größte von allen, sein Fell ist pechschwarz, Tolja hat einen hellen Grauton mit einem schwarzen Streifen quer über den Rücken. Radu ist auch grau, Davud eher dunkelgrau. Luca und Vlad sind beide braun, wobei Vlad noch etwas dunkler ist, Luca ist eher rotbraun. Du wirst sie schon bald auseinanderhalten können.« Sie zwinkert Saphira zu: »Bis morgen!«

Saphira murmelt auch eine Verabschiedung und will sich erst umdrehen und ins Haus verschwinden, doch dann blickt sie zum Wald, und die Neugierde packt sie. Während sie bereits die Wiese ihres Grundstückes überquert und zum angrenzenden Wald geht, fällt ihr ein, dass dies vielleicht doch keine gute Idee ist und sie umkehren sollte. Was ist, wenn sich Nicola getäuscht hat und der Wolf doch noch weit entfernt ist und einer der ruhelosen Vampire in der Nähe ist? Bevor sie jedoch dazu kommt umzudrehen, ertönt ein leises Knurren aus dem Wald. Saphira erstarrt, als plötzlich ein grauer Wolf erscheint. Saphira bleibt ganz ruhig stehen, das muss Radu sein. Er knurrt noch immer, und Saphira sieht ängstlich, aber auch fasziniert zu dem Wolf, der ihr bis zum Becken geht. Er wirkt wie ein ganz normaler Wolf, wenn auch etwas größer und breiter. Nichts weist darauf hin, dass in ihm ein Mensch steckt. Als er immer näher kommt, bekommt Saphira Panik. Zwar hat Vlad gesagt, dass sie immer noch der Mensch sind, der in ihnen steckt, doch wirkt dieser Wolf gerade sehr aggressiv. Saphira bereut ihren Entschluss, als er ganz an sie herankommt und knurrt. Sie schließt schon die Augen, als er plötzlich mit seiner kalten Schnauze an ihre Hand stupst. Saphira öffnet die Augen wieder, und der riesige Wolf hat sich neben sie gesetzt und stupst immer wieder ungeduldig mit der Schnauze an ihre Hand. Sie fängt an zu lachen: »Was ist?« Wieder ein Stupser.

Saphira beißt sich auf die Unterlippe und wird mutiger, ganz langsam hebt sie ihre Hand und streichelt über das weiche Fell. Der Wolf sieht sie ungeduldig an, und Saphira lacht lauter. »Radu ... du bist ja richtig kuschelig.« Der Wolf knurrt leise, aber Saphira hört, dass es kein böses Knurren ist. Jetzt steht der Wolf auf und umkreist Saphira, als überlege er, bevor er sie mit dem ganzen Kopf in Richtung Haus schiebt. Er will, dass sie ins Haus geht, er denkt an ihre Sicherheit. Saphira geht zum Haus zurück, immer noch angeschoben von Radu. Kurz vor der Veranda dreht sie sich zu ihm um. »Okay, ich gehe ja schon. Du verschwinde mal wieder in den Wald, nicht dass dich noch jemand entdeckt!« Sie streichelt noch einmal über sein Fell. »Du weicher Kuschelwolf!« Noch ein Stupser von Radu, und Saphira geht lachend ins Haus.

Sora sieht aus dem Fenster der Küche, sie ist allein zu Hause. Ihre Eltern sind bei Adina und Ovid, Vlad und die anderen sind schon auf Wache. Den Nachmittag hat sie mit Alicia und Snejana verbracht, doch jetzt fällt ihr die Decke auf den Kopf. Sie hat keine Lust fernzusehen. Die ganzen glücklichen Liebesgeschichten ermüden sie langsam. Sie freut sich für Snejana und Alicia, dass sie ihr Glück gefunden haben, doch ihr wird so immer wieder vor Augen geführt, was ihr anscheinend nicht vergönnt ist. Sie ist weder eine Seelenverwandte noch eine Vampirin noch eine Tochter des Mondes. Eine einfache langweilige Sora, wer sollte das schon anziehend finden?

Sie nimmt den Autoschlüssel von Vlad und fährt zu ihrer kleinen Videothek. Sie soll nicht im Dunkeln raus, doch gerade ist ihr das so etwas von egal. Sie stöbert lange durch die Regale, selbst in den Kriegsfilmen ist immer eine Liebesgeschichte enthalten, also holt sie sich letztlich eine Dokumentation über den 11. September. Als sie bei sich in der Einfahrt hält und noch nicht ganz aus dem Auto gestiegen ist, wird sie am Arm herumgewirbelt. Sora keucht schwer auf vor Schreck, als sie plötzlich von einem wütenden Dorian festgehalten wird.

»Was denkst du dir, nachts rauszugehen? Erlaubt dir das dein Bruder etwa gerade jetzt?« Er schreit sie wütend an, und Sora erholt sich vom ersten Schreck. »Was geht dich das denn an?«, wirft sie ihm an den Kopf zurück und befreit ihren Arm, um zur Haustür zu gehen. »Ich habe dir gesagt, dass ich über dich wache!« Sora wirbelt zu ihm herum. »Ich habe dich aber nicht darum gebeten, das ist doch eh sinnlos. Wenn, dann sind sie hinter den anderen Frauen her, was sollen sie mit mir schon anfangen?« Dorians Augen vernichten Sora beinahe, er zittert leicht, und Sora bemerkt, dass er wirklich sehr sauer ist. Hat er sich wirklich um sie gesorgt?

Bevor sie allerdings noch weiter darüber nachdenken kann, hat Dorian sie blitzschnell an die Haustür gedrängt. Seine Hand fährt an ihre Wange, und bevor sie reagieren kann, drückt er seine Lippen auf ihre. Im ersten Moment will Sora sich ihm entziehen, sie versucht ihn wegzudrücken, doch dann schmeckt sie seinen Geschmack, sein

Geruch, an den sie immer wieder denken musste, benebelt sie. Als er beginnt, seine Lippen auf ihren zu bewegen und seine Zunge ihre Lippen teilt, erwidert sie seinen Kuss. Erst zaghaft, aber je mehr sie ihn schmeckt, desto mehr will sie ihn noch intensiver spüren. Ihre Hände legen sich an seine Brust, seine Hände umfassen sie und ziehen sie noch enger an sich.

Ganz plötzlich löst er den Kuss und sieht sie verwirrt an. Auch sie kommt da wieder zu Verstand und fasst sich an die Lippen. »Wir dürfen das nicht!«, flüstert sie leise. Dorian sieht sie noch einmal an, flucht in einer Sprache, die sie nicht versteht, und verschwindet in den Wald.

# Kapitel 17

Als Calin Saphira am nächsten Morgen abholt und sie in Calins Jeep sitzen, kann er es nicht lassen und fragt, ob es schön war, gestern mit einem Wolf zu kuscheln. Saphira lächelt, und er wird ernst. »Es ... du hast keine Angst davor?« Saphira sieht ihn an. »Nein, es ist immer noch sehr unreal, aber Nicola und Vlad haben mir einiges erklärt, und Radu war gestern sehr süß.« Calin lacht: »Er soll nicht süß sein, er soll dich beschützen!« Sie fahren zu einem Baumarkt, in dem Calin allerlei Dinge zum Renovieren besorgt. Als er ein Fachgespräch mit einem Verkäufer über Bohrmaschinen anfängt, wendet sich Saphira ab und geht in die Farbabteilung. Während sie sich die verschiedenen Farbmischungen ansieht, hat sie immer einen Blick auf Calin, der sich an ein Regal lehnt und sich mit dem Verkäufer angeregt unterhält. Sie bemerkt, dass jede Frau, die an ihm vorbeigeht, einen Blick auf Calin wirft.

Es ist vollkommen verständlich, so wie er da jetzt steht, sieht er einfach nur umwerfend aus. Seine kurzen dunklen Haare umrahmen sein schönes Gesicht, Saphira liebt seine dunklen Augen, die seinem sonst so feinen und ebenen Gesicht etwas Gefährliches verleihen und die sie trotzdem schon so oft liebevoll auf sich gespürt hat. Er ist groß und breit, er sticht auch so schon heraus, aber sein Auftreten macht ihn so unverkennbar. Wie auch bei seinem Vater spürt man, dass er eine Machtposition hat, er hat eine Ausstrahlung, die einen starken Willen und Stärke demonstriert, und das merken alle Menschen um ihn herum, Frauen fühlen sich davon angezogen. Saphira spürt, wie ihr Magen rebelliert, als sie die Blicke der Frauen auf Calin sieht. Auch wenn der das alles komplett ausblendet und, zumindest für Saphira, im Gespräch um zwei fast identische Bohrmaschinen ganz aufgeht.

Als Saphira ihn nun aber so beobachtet, fällt sein Blick auf sie, und sie sehen sich einige Sekunden einfach nur an, und dann passiert das, was Saphira so sehr an seinen Augen und seinem Blick liebt. Sie blitzen gefährlich aus seinem Gesicht, doch auf ihr liegen sie ruhig, liebevoll, sehnsüchtig. Ein Blick von ihm zeigt seine Gefühle für sie, und Saphira treten die Tränen in die Augen, sie will ihn nicht aufgeben müssen. Sie will ihn nicht an eine andere verlieren, der Gedanke und das dann auftretende Gefühl quälen sie.

Ohne dass ihr Blickkontakt abbricht, geht Saphira zu Calin zurück. Kaum befindet sie sich in seiner Reichweite, legt er zärtlich seine große Hand in ihren Nacken und gibt ihr einen Kuss auf die Stirn. »Alles okay?«, flüstert er an ihr Ohr, und sie schüttelt ihren Kopf, während sich der Verkäufer dezent ein paar Schritte entfernt. »Nein, ist es nicht! Ich liebe dich, und du fehlst mir.« Saphira kämpft gegen die Tränen an, als sie an ihre ausweglose Situation denkt. »Wir werden eine Lösung finden, Saphira, ich verspreche es. Ich liebe dich und werde dich nicht aufgeben!« Er gibt ihr einen Kuss auf die Lippen, als sich der Verkäufer hinter ihnen räuspert. »Nehmen Sie jetzt die Bohrmaschine?«

Nach dem Baumarkt fahren sie direkt in ein Möbelgeschäft. Hier ist es für Saphira gleich um einiges interessanter als im Baumarkt. Sie schlendern durch die einzelnen Abteilungen, und während für Calin ein Sofa einfach nur ein Gegenstand zum Sitzen ist, versucht Saphira ihm zu zeigen, worauf man beim Kauf noch achten muss, wie man etwas verschönern kann. Dieses Mal schaltet Calin ab, er nickt jedes Mal, wenn Saphira ihm vorschlägt, noch ein paar Dekoartikel zu kaufen. Auch wenn sie seine Wohnung noch nie gesehen hat, so weiß sie doch, was eine Wohnung gemütlich macht. Calin scheint weit weg mit seinen Gedanken zu sein, hin und wieder greift er nach Saphiras Hand, küsst diese, aber sie sprechen kein Wort mehr über das Problem, das sie beide entzweit.

Aber auch wenn sie es nicht ansprechen und einfach versuchen zu verdrängen, es ist da, und je mehr sie sich wieder näherkommen, je mehr Zeit sie miteinander verbringen, umso schwerer wird es im Nachhinein für sie werden. Trotz dieses Wissens genießt sie es. Saphira genießt jede Minute mit Calin.

Letztendlich hat Saphira zwar nichts für ihr Haus eingekauft, aber neben einem Tisch für Calins Wohnzimmer noch einige Dekorationsartikel für seine Wohnung. Als sie vor der Werkstatt halten, kann sich

Saphira nicht vorstellen, wie dort drinnen noch eine vernünftige Wohnung entstehen soll. Calin arbeitet wohl schon ziemlich lange daran herum und hat auch noch einiges zu tun. Als sie dann jedoch im hinteren Teil der Werkstatt eine Treppe nach oben gehen, staunt Saphira. Über der Werkstatt hat Calin eine wunderschöne Wohnfläche geschaffen.

Es ist schon alles mit dunklem Holz ausgelegt, man kommt direkt in einen großen Raum, der sicher als Wohnzimmer dienen soll. Davon gehen mehrere Räume ab, eine Küche und ein kleines Bad, zwei leere Räume und ein Schlafzimmer, wo zwar schon ein Bett drinsteht und einige Klamotten von Calin herumliegen, aber sonst nichts weiter. Auch die Küche scheint neu eingebaut zu sein, alles ist noch ziemlich unbenutzt. Trotzdem entdeckt Saphira im Kühlschrank ein paar Lebensmittel, als er ihnen was zum Trinken eingießt, was bedeutet, dass Calin hier schon übernachtet. Saphira mag die Wohnung von Anfang an, zwar ist sie noch nicht fertig, doch man sieht ihr an, wie viel Arbeit, Geduld und Liebe Calin hier hineingesteckt hat.

Während sich Saphira umsieht, verstaut Calin die eingekauften Sachen in eine Ecke und stellt den Tisch auf. Saphira hilft ihm anschließend dabei. Sie beginnen den Tisch zusammenzuschrauben. Calin zieht seinen Pullover aus, und Saphira sieht wieder auf die Narbe auf seiner Brust. »Was ist dort eigentlich passiert?«, fragt sie vorsichtig nach. »Wie sind diese Narben entstanden?« Calin baut weiter auf. »Das ist jetzt schon ein paar Jahre her. Davud und ich waren noch in der Schule, die Verwandlung hatte noch bei keinem von uns stattgefunden. Es gab ein Mädchen, mit dem ich mich gut verstanden habe ...«, er lächelt, »manchmal erinnerst du mich an sie. Wir waren auch ein Paar, sie hat mir viel bedeutet, wir waren jeden Tag zusammen.« Obwohl Saphira keinen dazu Grund hat, spürt sie, dass es sie stört, wenn er so vertraut und so liebevoll von einer anderen Frau spricht.

»Eines Abends kamen wir von einer Feier, wir waren alle leicht angetrunken, ich bin gefahren, aber es gab keine Probleme, ich hatte alles unter Kontrolle. Als wir kurz vor Barnar waren, stand auf einmal etwas auf der Fahrbahn. Alle haben es gesehen und geschrien, ich versuchte auszuweichen, dabei bin ich an einen Baum gefahren. Als ich meine Augen wieder geöffnet habe, war alles voller Blut, daher die Narben. Die Scherben der Frontscheibe haben tiefe Schnitte hinterlassen.

Aber der Aufprall war nicht so schlimm, auch Davud und seine damalige Freundin waren schon dabei, aus dem Wagen zu klettern. Ich weiß noch, wie Davud geschrien hat, wir sollen raus, dass der Wagen gleich anfängt zu brennen. Ich habe zu Amanda geguckt, die neben mir gesessen hatte, sie war weg. Ich bin mir 100 % sicher, dass sie weg war, also bin ich davon ausgegangen, dass sie schon draußen ist. Als ich hinauskletterte, kam Davud zum Wagen, er hat geschrien, ich soll Amanda rausholen, doch ich habe ihm gesagt, sie ist schon draußen. Er hat es nicht geglaubt, wollte zum Wagen zurück. In dem Moment gab es eine laute Explosion, und der Wagen stand in Flammen.

Davud hat sich vor mich gestellt, deswegen hat er die Verbrennungen abbekommen. Wir haben den ganzen Wald abgesucht ... tagelang. Alle sind sich sicher, dass sie im Wagen war und verbrannt ist, aber ich weiß, dass sie das nicht war. Doch wir konnten sie nie finden. Es ist auch nie herausgekommen, was auf der Fahrbahn stand, aber es war garantiert kein Tier. Vielleicht ist sie auch aus dem Wagen geschleudert worden und dann dort an den Verletzungen gestorben. Ich musste irgendwann aufhören zu suchen, egal was passiert ist, letztlich ist sie tot.«

Auch wenn Calin das alles ruhig erzählt, sieht Saphira ihm an, dass ihn die Erinnerung schmerzt. »Das ist schrecklich, es tut mir leid, Calin«, flüstert sie und streicht über seine Wunde.

Er lächelt mild: »Man lernt, mit allem zu leben!« Saphira nickt: »Das stimmt allerdings.« Calin lehnt sich nach hinten an die Wand und atmet tief ein. »Ich weiß, dass du auch etwas hast, dass dir etwas zugestoßen ist. Ich habe es gespürt, als ich mich dir das erste Mal genähert habe. Ich habe es gesehen, als Luna von euch erzählt hat.

Du musst es mir nicht erzählen, aber ich würde es mir wünschen. Seit ich weiß, dass es etwas gibt, was dir auf der Seele lastet, mache ich mir meine eigenen Gedanken darüber, und ich wüsste gerne, ob ich richtigliege, was ich bei Gott nicht hoffe!«

Saphira lehnt sich ebenfalls neben ihn an die Wand. Er war auch offen zu ihr. Sie hat bisher mit niemandem außerhalb ihrer Familie darüber gesprochen, was an jenem Abend passiert ist. »Ich will das vergessen, ich versuche es zumindest.« Calin nimmt Saphiras Hand in seine. »Wie gesagt, ich kann dich nicht dazu zwingen, ich will dich nicht drängen, ich denke aber, es würde uns beiden helfen, wenn du es mir erzählst.« Saphira wendet ihren Kopf zu ihm, lässt ihn aber weiter müde an die Wand gelehnt. Sie fühlt sich müde, erschöpft von allem, was die letzte Zeit passiert ist. Und schließlich beginnt sie zu erzählen. »Es war an einem Sonntagabend. Luna hat ja erklärt, wie verrückt manche Männer bei uns in Venezuela nach den Töchtern des Mondes sind. Eine der wohlhabenderen Familien, die Averos-Familie, hat zwei Söhne. Als wir alle noch jünger waren, haben wir viel zusammen gespielt, da gab es keine Unterschiede. Doch je älter wir wurden, desto mehr hat sie der Reichtum ihrer Familie beeinflusst. In der Schule hatten wir kaum noch Kontakt zu ihnen.

Jalcub, der Ältere der beiden, ging in meine Nachbarklasse. Ich habe ihn von Jahr zu Jahr mehr gehasst. Seine Art, mit anderen Menschen, die es nicht so gut hatten wie er, umzugehen, wurde immer herablassender. Er hatte zwar immer seine Freundinnen und Mädchen, die ihn umschwärmt haben, doch für ihn war klar, dass ich einmal seine Frau werde. Er hat das auch jeden wissen lassen. Ich kann es quasi noch hören. ›Finger weg von ihr! Sie wird mal meine Frau!‹ Ich habe ihm jedes Mal gesagt, dass er sich zum Teufel scheren soll, doch er hat nie daran gezweifelt, dass es eines Tages so kommen wird. Dann war der Schulabschluss, ich hatte gerade einen Aufschub von meinem Vater bekommen, dass wir noch etwas in Venezuela bleiben dürfen, und war dabei, mir eine Stelle zu suchen, als seine Familie zu meiner Oma gekommen ist.

Es ist sehr selten, dass solche Besuche noch stattfinden, deswegen waren wir alle auch sehr verwundert. Während sie angefangen haben sich mit meiner Oma und meinen Tanten zu unterhalten, bin ich in die Küche, um Getränke zu holen, Jalcub ist mir gefolgt. Er hat mir gesagt, dass der Tag gekommen ist, an dem ich offiziell als seine Frau bekannt gegeben werde.

Ich war so sauer, allein wie die sich in unserem Haus umgesehen haben, diese herablassende Art. Ich habe ihn nur böse angesehen und ihm gesagt, dass er sich mit seinem verdammten Geld alles kaufen kann, aber mich wird er niemals bekommen. Als die Eltern meine Oma gefragt haben, ob ich Jalcub heiraten will, ihr genau erklärt haben, wie sich mein Leben mit all den Vorteilen des Geldes verändern wird, hat sie geantwortet, dass wir nicht mehr nach diesen alten Traditionen leben und es meine eigene Entscheidung sei. Als dann die Aufmerksamkeit auf mich fiel, konnte ich mich nicht zurückhalten und habe vor allen erklärt, dass ich eher sterben würde, als ihn zu meinem Mann zu nehmen.

Ich hätte mich zurückhalten sollen, aber meine Wut war schon so angestaut. Sie sind daraufhin gegangen, ohne ein weiteres Wort zu verlieren. Meine Oma hat noch gelacht und gesagt, dass der Mann, der mich zähmen will, erst noch geboren werden muss. Ich dachte, sie wäre sauer, doch sie war es nicht, und ich hoffte so sehr, dass ich ihn nach dieser offenen Demütigung nun endgültig losgeworden wäre. Ich bin daraufhin zu einer Freundin gegangen, um ihr davon zu erzählen, und erst spät am Abend zurückgekommen. Ich bin extra schnell gelaufen, weil ich wusste, dass meine Oma sich sonst Sorgen macht.

Ich habe ihn nicht gesehen.

An der Mauer zu unserem Grundstück hat Jalcub an einem Baum gestanden und auf mich gewartet. Ich kann mich nicht mehr an viel erinnern, ich weiß noch, dass er mich zwingen wollte, ihm doch mein Jawort zu geben, dass er gedroht hat, wenn er mich nicht haben kann, soll mich keiner bekommen. Er hat mich versucht zu küssen, ich habe mich von Anfang an gewehrt. Ich weiß nicht, wie ich ihn getroffen habe, doch ich habe mich einfach verteidigt, so gut es ging. Er hat es geschafft, meine Bluse zu zerreißen, aber weiter ist er nicht gekommen.

Ich habe mich zu stark gewehrt. Mein einziger Gedanke war, dass ich ihm das nicht geben werde, egal was passiert. Daraufhin ist er noch wütender geworden, weil er am Ende gar nichts erreicht hat. Ich habe nur noch dumpfe Schläge gespürt. Immer wieder, auf mein Gesicht, meinen ganzen Körper. Das Nächste, woran ich mich erinnern kann, ist, dass ich im Krankenhaus aufgewacht bin. Meine Oma, meine Tanten, alle waren da und haben geweint.

Sie haben mich im Garten gefunden, er hat mich so zugerichtet, dass sie mich kaum erkannt haben. Ich war überall blau, aber er hat nicht geschafft, was er vorhatte. Er hat mich nicht gebrochen. Drei Monate war ich im Krankenhaus. In dieser Zeit hatte seine Familie ihn schon freigekauft, er erzählte überall herum, dass ich nun so entstellt sei, dass mich keiner mehr haben wolle. Aber das war nicht so, es dauerte, doch alles heilte ab. Nicht mal dieses Ziel hat er erreicht.

Ein paar Tage nach meiner Entlassung aus dem Krankenhaus war seine Hochzeit. Letztlich hat er eine sehr willige Cousine von mir genommen. Hauptsache, eine Tochter des Mondes. Sie wusste, was er getan hat, aber die Aussicht auf ein Leben in Reichtum hat sie alles andere vergessen lassen. Ich habe mich an dem Tag extra lange zurechtgemacht. Als ich herauskam, haben selbst meine engsten Verwandten gestaunt. Wir sind zur Hochzeit gefahren.

Alle Augen waren auf uns gerichtet, als wir in der Tür erschienen sind. Luna und meine Cousinen wollten mich abhalten, das zu tun, doch ich musste es machen. Das Brautpaar stand vorn, um Glückwünsche entgegenzunehmen. Ich bin an meiner Cousine vorbeigegangen und habe mich direkt vor Jalcub gestellt. Dann habe ich ihn angesehen, ihm in die Augen gesehen und ihm gezeigt, dass er nichts, gar nichts erreicht hat. Man konnte ihm den Schock darüber, dass ich nach allem wieder so vor ihm stehe, im Gesicht ablesen. »Du hast mich nicht zerstört, vergiss das nie.« Das waren meine letzten Worte an ihn. Kurze Zeit später sind wir hergekommen.«

Saphira hat nicht eine Minute den Blick von Calin genommen, sie hat gesehen, an welchen Stellen er zusammengezuckt ist, wann er sauer wurde, und sie weiß schon, bevor er es tut, dass er sie jetzt an sich zieht und in seine Arme schließt. »Wäre der Mistkerl jetzt vor mir, würde ich ihn ... Saphira, schwöre mir, dass du niemals wieder dahin fährst oder zumindest nicht ohne mich! Ich will nicht, dass er noch einmal in deine Nähe kommt! Ich kann nicht ... ich habe mir so etwas schon gedacht, doch irgendwie hatte ich die Hoffnung, dass ich mich täusche, ich ...« Saphira hebt ihren Kopf von seiner Brust und stoppt seinen Redeschwall.

»Keine Sorge, ich habe auch kein Interesse daran, ihn wiederzusehen.« Er streicht ihre Strähnen hinter ihr Ohr. »Deswegen bist du so zusammengezuckt damals, ich hoffe, du weißt, dass ich dir niemals weh tun könnte.« Saphira muss lächeln: »Natürlich weiß ich das, ich kann das unterscheiden. Es war nur ein Reflex von mir. Ich wollte dir kein schlechtes Gefühl geben.« Saphira steht auf, um dieses ernste Gespräch zu beenden, und Calin versteht. Sie bauen den Tisch zu Ende auf.

»Wann findest du eigentlich die Zeit, noch hier zu arbeiten?« Sie stellen den neuen Couchtisch auf, und Saphira holt die Kissen, die sie für die Couch gekauft haben. »Ich lasse es ruhig angehen, ich arbeite schon lange an der Wohnung. Aber in letzter Zeit habe ich wieder mehr dran gemacht, immer wenn ich in der Nacht abgelöst wurde oder in der Werkstatt nichts zu tun hatte und ich nicht mit dir zusammen war, habe ich hier gearbeitet. Da wollte ich sie schnell fertig bekommen, denn es war so, als hätte ich jetzt einen Grund mehr, ein Zuhause zu schaffen.« Saphira sieht ihn an. »Aber wieso hast du an eine Zukunft gedacht, wenn du genau wusstest, dass wir keine haben? Das war doch der Grund, warum du dich von mir ferngehalten hast, oder? Am Anfang, weil du wusstest, dass ich nicht die Richtige für dich bin.«

Calin seufzt leise und stellt sich genau vor sie. »Als ich dich gesehen habe, das erste Mal, hat mich alles zu dir hingezogen. Ich war sofort in deinen Bann gezogen. Ich war fest überzeugt, dass du meine Seelengefährtin bist, doch als ich mich dann nachts verwandelt habe, war es nicht das gleiche. Es war stark, sehr stark, aber nicht das gleiche Gefühl wie bei den anderen, als sie ihre Seelengefährtinnen gefunden haben. Du hast recht, ich war enttäuscht.

Je mehr ich dich gesehen, mit dir geredet habe, umso schlimmer wurde es. Ich hätte dafür getötet, dass du es bist. Doch es hat nichts daran geändert, dass meine Gefühle von Anfang an stark waren und ich von dir angezogen wurde, anders als die anderen, aber ebenso stark, Saphira, wenn nicht noch stärker. Ich kann mir das Ganze selbst nicht erklären, ich konnte aber nicht lange dagegen ankämpfen, mich nicht lange von dir fernhalten.

Mittlerweile ist es mir egal, ob du meine Seelengefährtin bist, ob du eine Tochter des Mondes bist oder sonst etwas. Ich liebe dich, Saphira ... sieh mich an, sieh mich wirklich an! Ich kann dir nichts anderes geben als das, aber das aus ganzem Herzen! Ich liebe dich so sehr.«

Saphira hat schon lange begonnen zu weinen, und statt ihm jetzt zu antworten, küsst sie ihn. Sie vergisst alle Zweifel, alles, was falsch daran ist, und legt ihre ganze Sehnsucht und Liebe zu Calin in diesen einen Kuss. Calin erwidert ihn genauso sehnsüchtig. Es ist ein faszinierendes Gefühl, wie schnell man sich an eine Person gewöhnt, an den ständigen Kontakt zu der Person, und wie schnell man diese Person dann wieder vermisst, wenn es nicht mehr so ist. Ihr Kuss wird immer leidenschaftlicher und intensiver. Saphira streichelt über Calins Brust, und er zieht ihr das Shirt aus, den BH und widmet sich noch auf der Stelle ihren Brüsten. Saphira erschaudert, als er sie vorsichtig in den Mund nimmt und seine Zunge über ihre Knospen fährt. Sie stöhnt auf, als er sie hochnimmt und in Richtung Schlafzimmer trägt, wo er sie auf das Bett niederlässt und sie wieder küsst. Saphiras Verstand setzt ganz aus, sie will Calin nur noch ganz spüren. Sie fährt seine muskulösen Arme entlang, über seine Brust, bevor sie schließlich seine Hose öffnet und sie herunterschiebt. Calin atmet schwer, sein Blick gleitet bewundernd und liebevoll über Saphira, als er sich die Hose ganz abstreift und sie ebenfalls aus ihrer Hose befreit.

Nun trennt beide nur noch wenig Stoff, und so wie Calin Saphira am ganzen Körper mit seinen Lippen verwöhnt, will sie dieses bisschen auch schnell loswerden, doch Calin genießt es offenbar, sie zu quälen. Seine Lippen gleiten zärtlich über ihren Bauch, seine Zunge umkreist ihren Bauchnabel.

Bevor er ihren Slip berührt, hält er inne und sieht zu ihr hoch. »Saphira, wir müssen nicht!« Wenn du dir unsicher bist, was uns betrifft …« Saphiras Atem geht schon viel zu schnell, ihr Herz klopft laut. »Lass mich heute alle Unsicherheiten vergessen, Calin! Zeige mir, wie sicher ich mir sein kann!«

Und das tut er, Calin liebt Saphira so liebevoll und doch leidenschaftlich, dass sie sich nur noch mehr wünscht, nie wieder aus seinen Armen wegzumüssen. In dem Moment, in dem er in sie eindringt, fühlt es sich so an, als würden sie eins, zwei Legenden, die ineinander verschmelzen. Saphira streicht über seinen Rücken, hält sich in seinem Nacken fest, zieht ihn nah an sich. Sie genießen sich mit allen Sinnen. Sie kann ihre Gefühle kaum kontrollieren, so stark beginnt ihr Herz zu schlagen, als Calin sich in ihr bewegt, sich ihre Lippen wieder und wieder treffen und sie für lange Zeit zu einem werden.

Auch als sie danach neben ihm liegt, ihr Gesicht an seine Brust geschmiegt, und sie beide wieder zu Atem kommen, fühlt sie sich so gut und richtig bei ihm. Doch sie kann nicht verhindern, dass mit Abklingen der heftigen Gefühle, die sie gehabt hat, als sie sich vereinigt haben, auch die Angst wieder hochkommt, die Angst, das alles zu verlieren. Je mehr sie spürt, was sie verliert, je mehr sie Calin genießt, desto mehr weiß sie, dass dieser Verlust sie um den Verstand bringen wird.

# Kapitel 18

## Neue Zeiten brechen an

Unruhig bewegt sich Dorian neben Lucian hin und her, während der sich eine Zigarette anzündet und den Kopf schüttelt. »Was ist bloß im Moment los mit dir? Du hast die Kleine in der Bar ja nicht mal richtig angesehen, als du dich genähert hast.« Dorian grummelt entnervt auf, er brauchte wieder Menschenblut, doch war es dieses Mal keine so lustvolle Angelegenheit wie sonst immer. Im Gegenteil, er hatte die ganze Zeit Sora in seinen Gedanken, ihren Geschmack auf der Zunge. An dem Tag, an dem sie sich geküsst haben oder vielmehr an dem er so dumm war und sich nicht unter Kontrolle hatte, hat er schon einen kleinen Vorgeschmack bekommen. Er hätte sie ewig so halten und schmecken können, und das macht ihn wütend.

Er hat gespürt, dass es ihr auch so geht, doch ihre anschließende Reaktion hat ihm wieder klargemacht, dass sie da etwas anfangen, was nicht geht, nicht möglich ist, unter keinen Umständen machbar. Deswegen hält er sich jetzt fern, er beobachtet von weitem, dass es ihr gut geht, aber sie bringt alle seine Prinzipien zum Einsturz, und das wird er nicht zulassen.

Es ist mittlerweile kurz vor Mitternacht, Sora ist noch immer nicht zu Hause. Lucian und er sind gerade direkt nach ihrem kurzen Barbesuch hierhergekommen. Zum Glück muss er jetzt nicht mehr erklären, was er hier zu suchen hat, er spürt, dass Davud und Radu in der Nähe sind. Alle anderen sind, soweit er weiß, auch schon unterwegs, bis auf Vlad und Calin sind sie offenbar alle schon das Gebiet absichern. Da Calin mit Saphira und Vlad mit Luna und hoffentlich auch Sora zusammen ist, passen sie ja direkt auf die schwersten Angriffsziele auf. Dorian ist unruhig, er hat ein ungutes Gefühl im Magen, was er auf die Tatsache schiebt, dass er nicht weiß, wo Sora steckt, und noch mehr, dass ihn das nicht so kümmern dürfte. Aber auch Lucian sieht sich häufiger um als sonst. Gerade als er sich am Kopf kratzt und »Irgendetwas stimmt nicht!« murmelt, fährt der Jeep von Vlad vor.

Dorian spürt sofort eine Erleichterung, als er sieht, wie Luna und Sora ebenfalls aussteigen. Vlad sieht in ihre Richtung und nickt leicht, er hat sie natürlich bemerkt. Plötzlich ertönt ein schmerzvolles Jaulen, es ist weit weg, doch Lucian, Dorian und Vlad hören es und erkennen, dass es Luca ist. Es muss etwas passiert sein. Auch die Frauen scheinen etwas vernommen zu haben, denn sie sehen fragend zu Vlad, auch wenn sie es nicht so deutlich gehört haben können wie sie drei. Bevor sie reagieren können, spürt Dorian deutlich, dass sich etwas tut, er nimmt den Geruch von anderen Vampiren auf. Lucian schmeißt die Zigarette weg. »Scheiße!« In der nächsten Sekunde stehen sie beide bei Vlad, der sich offenbar kaum noch mit der Verwandlung zurückhalten kann, sie alle spüren die Anwesenheit von anderen Vampiren zu stark.

»Es sind mehrere! Sie kommen aus verschiedenen Richtungen!« Dorian nickt und sieht zu Sora und Luna, sie können sie nicht allein lassen, aber sie brauchen jetzt jeden Mann. Auch Vlad scheint das Gleiche zu denken und flucht. »Du und Dorian, ihr bleibt hier. Ich gehe in die Richtung, da scheint es am nächsten. Davud ist in die Richtung von Luca, Vladan und alle sind verteilt, bleibt bei ihnen!« In dem Moment, in dem Lucian die Anweisung an Vlad und Dorian gegeben hat, ist er auch schon weg.

Dorian spannt sich an und stellt sich vor Luna und Sora, so dass sie, mit dem Rücken zum Auto, vollständig von ihm bedeckt sind. »Lass es endlich zu! Wir haben jetzt für alles andere keine Zeit!«, raunt er Vlad zu, der noch immer probiert die Verwandlung zurückzuhalten, wahrscheinlich um Luna nicht zu schockieren, doch bei den starken, immer näher kommenden Vampirgerüchen ist es unmöglich. Mit einem lauten Reißen und mit einem leisen Aufschrei von Luna wird er zu einem dunklen riesigen Wolf. Dorian sieht zu ihm hinunter, als er sich neben ihm aufbaut, das erste Mal, dass sie nebeneinander und sich nicht gegenüberstehen. Dorian kann sich Schöneres vorstellen, aber er hat jetzt keine Zeit, darüber nachzudenken, denn er spürt, dass zwei Vampire direkt auf sie zukommen.

Calin hat die Unruhe sofort gespürt. Nachdem Saphira bei ihm auf der Brust eingeschlafen war, ist auch er eingenickt und erst jetzt wieder erwacht. »Zieh dich an, schnell!« Saphira blickt ihn verschlafen aus dem Bett an, er hört Lucas schmerzvolles Jaulen. »Saphira, los!« Sobald sie beide etwas anhaben, bringt Calin sie zum Jeep, er setzt sich hinters Steuer und versucht, jemanden ans Handy zu bekommen, doch sie scheinen alle schon verwandelt zu sein. Calin ist heiß, er spürt die Vampire, spürt den Kampf, den Vladan und auch Davud schon führen. Alles in ihm schreit danach, sich zu verwandeln, doch was macht er mit Saphira? Sie ist das Angriffsziel, sie und Luna, und Calin betet innerlich, dass Vlad bei Luna ist. Noch bevor er bei Saphira ankommt, nimmt er vor allem Lunas Duft auf und weiß, dass sie bei Vlad sind. Er wendet blitzschnell das Auto. Saphira kreischt auf. »Sie sind es, oder? Sie greifen an? Calin, mein Vater! Wir müssen zu ihm, ihn warnen.« Calin schüttelt den Kopf, er zieht den lieblichen Duft von Saphira tief ein, das ist wie ein Magnet für die ruhelosen Vampire.

»Dein Vater ist für sie uninteressant, wenn sie euch riechen, also solltet ihr lieber so weit wie möglich von ihm entfernt sein.« Kurz vor Vlads Haus hält Calin, er spürt, dass schon mehrere Vampire da sind, und sieht Saphira eindringlich an. »Egal was passiert, du bleibst bei mir, hast du verstanden? Saphira, das ist wichtig!« Saphira nickt, er sieht die Panik in ihren Augen, am liebsten würde er sie in den Arm nehmen und ihr sagen, dass alles gut wird, doch dafür ist keine Zeit. Er springt aus dem Auto und verwandelt sich sofort, er registriert noch Saphiras erschrockenen Aufschrei, doch sobald er an ihrer Tür angekommen ist, steigt sie aus. Sie fasst kurz ängstlich in sein Fell, dann gehen sie schnell in Richtung des Hauses. Calin sieht von links nach rechts, dann spürt er, wie ein Vampir direkt auf sie zugelaufen kommt.

Dorian wendet sich an Vlad: »Ich kümmere mich darum, ich lasse sie nicht in ihre Nähe kommen, bleib bei ihnen!« Er spürt Vlads Widerwillen, doch der Drang, seine Seelengefährtin und seine Schwester zu schützen, überwiegt. Dorian rennt zum angrenzenden

Wald und springt auf einen Baum, er bewegt sich durch Sprünge auf den Ästen ein paar Bäume vorwärts, um so weit wie nur möglich die Vampire von der Lichtung und vom Haus fernzuhalten, doch er kommt nicht weit. Sie sind schon zu nah, er entdeckt zwei ruhelose Vampire auf die Lichtung zurennen. Er springt genau vor sie, so dass ihn einer mit der ungeheuren Kraft der Schnelligkeit trifft und ihn zurückschleudert. Doch Dorian weiß, dass er nicht liegen bleiben darf, er kann sich jetzt keine schwache Sekunde leisten, und springt sofort wieder auf die Beine. Er schnappt sich einen der ruhelosen Vampire, den größeren und breiteren. Einen von ihnen muss er gehen lassen, er kann nur auf Vlad vertrauen, es bleibt ihm keine Wahl.

Der Vampir ist schnell, Dorian versucht ihn anzugreifen, doch er entwischt ihm jedes Mal, bis er ihn am Arm fassen kann. Der Vorteil eines ruhelosen Vampirs ist es, dass er schnell ist, schneller als Dorian und die anderen, da sie es gewohnt sind, sich einzig im Wald zu bewegen. Der Nachteil und Dorians Vorteil, sie trainieren ihre Kräfte nicht. Im Zirkel trainieren sie fast täglich vor Sonnenuntergang. Dorian weiß ganz genau, wie er einen ruhelosen Vampir schnell beseitigen kann, denn das muss er, schnell sein. Er reißt ihm gekonnt einen Arm ab und sofort den nächsten, bevor er sich den Beinen widmet. Der Vampir wehrt sich, doch Dorians gekonnten Griffen und der trainierten Kraft entkommt er nicht. Die einzige Möglichkeit, dafür zu sorgen, dass er sich nicht fortbewegt, ist es, ihm die Gliedmaßen abzutrennen. Er entfernt alle Glieder und hinterlässt sie auf einem Haufen. Entweder das Tageslicht oder sie selbst durch Feuer werden ihm dann seine Unsterblichkeit nehmen.

Dorian verliert keine Zeit, er kehrt zurück zur Lichtung, wo Vlad unter den erschrockenen Augen von Luna und Sora genauso vorgeht wie er. Offenbar hatte der Wolf auch keine größeren Schwierigkeiten, den anderen Vampir in den Griff zu bekommen. Er sieht zur Seite und entdeckt Calin, welcher ebenfalls mit einem Vampir kämpft. Der Anführer der Wölfe überragt seine anderen Rudelmitglieder noch einmal und ist auch der kräftigste und erfahrenste von ihnen, so dass er keine Hilfe benötigt.

Dorian bedeutet der verängstigten Saphira ihm entgegenzukommen, doch diese schüttelt den Kopf. Er will gerade zu ihr, da spürt er, dass Nicola und Catalina zu ihnen kommen. Sobald die beiden aus dem Wald treten, atmet Dorian erleichtert auf. Bis jetzt hat er zwar gespürt, dass alle da sind, aber sie jetzt so wohlauf zu sehen erleichtert ihn sehr. Sie gehen direkt zu Luna und Sora, auch Calin und Saphira kommen schließlich hinzu. »Es kommen noch mehr!« Catalina stellt sich vor die beiden, und auch Calin weicht nicht von Saphiras Seite. »Setzt euch ins Auto! Alle drei!« Dorian weiß, sie haben nicht lange Zeit, und öffnet die Tür zu Vlads Jeep. Ohne zu zögern, steigen Luna und Sora ein, nur Saphira wirft einen unsicheren Blick zu Calin, doch steigt schließlich auch ein.

Keine Sekunde später treten vier weitere Vampire auf die Lichtung. Dorian spürt, in was für einem Rausch sie sind. Sie können gar nicht richtig reagieren, sie sind wie Magneten angezogen von Saphira und Luna, alles andere beachten sie gar nicht, so dass es den Wölfen und den Vampiren nicht schwerfällt, mit diesen vier fertigzuwerden. Je näher sie den beiden Schwestern kommen, desto unachtsamer werden sie.

Dorian weiß noch, wie er das erste Mal ihren Duft gerochen hat, es hat ihn regelrecht angezogen, aber daran merkt man wahrscheinlich, wie anders und kontrolliert sie im Vergleich zu den ruhelosen Vampiren leben. Mittlerweile registriert er ihren Duft zwar noch, doch es zieht ihn nicht mehr unkontrolliert an oder beeinflusst sein Denken. Sobald auch diese Vampire beseitigt sind, was nicht lange dauert, da keiner von ihnen es riskieren will, dass einer zu den Frauen durchkommt, verwandeln sich Calin und Vlad zurück. Saphira, Luna und Sora haben die ganze Zeit weggeguckt, um nicht zu sehen, wie sie die Vampire vernichten. Als sie jetzt aufsehen, ist alles schon vorbei, sofort ist Luna in Vlads Armen, auch Calin zieht Saphira an sich und küsst ihren Scheitel. Dorian atmet tief ein, einen Augenblick sehen sich Sora und er in die Augen, und dieser kleine Augenblick, die Sorge um sie, der Kampf auch um ihre Sicherheit zeigen ihm deutlich, dass ihm dieses zarte Wolfsmädchen schon viel zu viel bedeutet.

Nicola schiebt die Frauen schnell wieder ins Auto. »Maurice ist auch da, ich habe seine Fährte aufgenommen, und Vladan hat diese übernommen. Sie sind von mehreren Punkten gekommen, Tristan, Lucian, Radu und Tolja haben alles so weit unter Kontrolle. Die meisten waren hierher unterwegs, Catalina und ich sind sofort her und haben einige gestoppt. Es scheint jetzt erst einmal vorbei zu sein, wobei ich nicht weiß, wie es bei Luca aussieht, der als Erstes angegriffen wurde. Davud und dein Bruder sind sofort hin«, erklärt sie an die Männer gewandt. »Cesar?« Nicola nickt und schließt die Tür. »Cesar ist ein normaler Mensch. Er gehört nicht zum Rudel, was hat er da verloren?«, Calin wird trotz seiner Wut blasser.

»Ich weiß es nicht, ich habe nur seine Anwesenheit gespürt«, fährt ihn Nicola auch an. »Okay, wir müssen dahin, sofort!« Catalina setzt sich ans Steuer des Jeeps. Calin scheint nicht einverstanden, doch Nicola, die sich hinten auf den Jeep stellt, sieht ihn beschwichtigend an. »Ihr seid so viel schneller. Vielleicht brauchen sie noch eure Hilfe. Du weißt genau, dass ich Saphira und Luna beschützen werde, genauso wie Catalina. Wir haben keine Zeit zum Diskutieren.«

Calin wirft noch einen Blick zu Saphira, dann verwandeln er und Vlad sich zurück, und Dorian und sie rennen zusammen in den Wald. Auf der Strecke versucht Dorian noch andere Vampire auszumachen, aber Nicola hat recht gehabt, das Schlimmste scheint vorbei zu sein. Sie sind so schnell, dass es nur ein paar Minuten dauert, bis sie auf der kleinen Lichtung ganz am Anfang der Stadt ankommen. Davud kämpft verbissen gegen zwei männliche Vampire und eine Frau. Er scheint schon verletzt zu sein, doch Dorian hat den grimmigsten des Rudels schon immer als sehr verbissen eingeschätzt, und seine Vermutung bestätigt sich, als er sieht, wie er die Vampire trotz seiner Verletzungen in Schach hält und von etwas fernhält. Jetzt erst entdeckt Dorian, wovor.

Auf dem Boden hinter ihm hockt Calins jüngerer Bruder blutverschmiert über einem Körper. Es ist Luca, der jüngste des Rudels liegt auf dem Boden, blass, blutend und regungslos. Sein Herz schlägt kaum noch, schwach, viel zu schwach. Calin kommt sofort an Cesars Seite, während Vlad und Dorian die lästigen Vampire von Davud ziehen. Davud will sich gerade die Frau vornehmen, als sich plötzlich Calin zu Wort meldet. »Amanda? Amanda!« Jetzt schaut auch die hübsche braunhaarige Vampirin, die Dorian gerade fest im Griff hat, zu Calin. Cesar blickt ebenfalls verwundert auf, auch Davud verwandelt sich zurück und flucht, als er näher tritt.

»Verdammte Scheiße, Calin. Du hattest die ganze Zeit recht, sie ist nicht gestorben. Lass sie los, Dorian, sie gehört zu uns!« Dorian sieht die Männer des Rudels an, in diesem Moment kommen die anderen zu ihnen. Vladan, Lucian und Tristan ebenso wie Radu und Tolja. Radu und Tolja eilen zu Luca, doch Cesar schüttelt den Kopf mit Tränen in den Augen. Jetzt hört auch Dorian, dass Lucas Herz aufgehört hat zu schlagen. Calin geht erneut zu Luca, hebt ihn in seine Arme und schließt seine Augen. Einen Moment herrscht eisiges Schweigen, auch Vladan und der Rest des anwesenden Zirkels schließen sich an. Egal wie sehr sie mit den Wölfen verfeindet sind, den gerade mal erst 16-jährigen Luca tot in Calins Armen zu sehen, trifft auch Dorian.

Nur die Frau in den Armen von Dorian windet sich noch immer. »Worauf wartest du? Beseitige sie!«, fährt Vladan ihn an. Jetzt sehen auch Radu und Tolja zu ihnen. »Amanda? Das darf doch nicht wahr sein.« Plötzlich hält der Jeep, und die Frauen kommen zu ihnen geeilt. Sofort flippt die Frau in Dorians Armen noch mehr aus und schnappt nach seinem Arm, um loszukommen.

Sobald sie Saphiras und Lunas Duft intensiver riecht, gerät sie in einen vollkommenen Rausch, doch Dorian verstärkt nur seinen Griff und behält Sora im Auge. Sie eilt zu Calin. Als dieser traurig den Kopf schüttelt, selbst mit Tränen in den Augen, fällt sie auf die Knie, und ein gequältes Schluchzen schallt durch den Wald. »Luca!«

Auch Saphira und Luna fangen an zu weinen. »Er muss von ihnen überrascht worden sein«, flüstert Davud tief getroffen. Erst als die Frau wutentbrannt losschreit, frustriert darüber, dass sich Luna und Saphira in ihrer unmittelbaren Nähe aufhalten und sie sie doch nicht bekommt, wenden sich alle an sie. »Wir können sie nicht töten, sie war eine von uns!«, gibt Calin knapp bekannt, und Saphira sieht zwischen beiden hin und her. »Ist das ...?« Calin nickt. »Bleib weg von ihr,

Saphira!« Er übergibt Luca vorsichtig auf Cesars Arm und geht auf die wilde, ruhelose Vampirin zu. »Amanda? Erkennst du mich nicht mehr? Ich bin's, Calin, wir haben dich so lange gesucht, ich wusste, dass du nicht tot bist!« Die Vampirin reagiert gar nicht, sondern wird immer wilder. »Sie ist eine Ruhelose, Calin, sie ist keine mehr von euch«, herrscht Vladan ihn genervt an.

»Er hat recht!« Alle drehen sich um, als Raphael, Felicitas und Gabriel aus dem Wald treten. »Wir waren gerade auf dem Rückweg, als wir es mitbekommen haben.« Gabriel geht zu Cesar und legt dem Toten die Hand auf die Stirn. »Armes Kind.« Sora schluchzt erneut auf, und Saphira kniet sich zu ihr und nimmt sie in den Arm. Dorians Magen zieht sich zusammen, er würde Sora so gerne trösten, aber er kann nicht. »Wie viele waren es?« Vladan stemmt die Hände in die Hüften. »Vielleicht 20 ...sie kamen von verschiedenen Seiten, aber wir konnten sie aufhalten, weil sie letztlich immer in die Richtung von Saphira und Luna gelaufen sind. Maurice haben wir von weitem entdeckt, aber als er gemerkt hat, was hier los ist, dass nicht nur die Wölfe sie bewachen, ist er geflohen.« Gabriel nickt. »20, also hat er nicht mit viel Gegenwehr gerechnet, und trotzdem war es schon ein harter Angriff.«

Dorian hat selbst ein paar Schrammen, alle sind leicht verletzt. Davud blutet auch aus einigen tiefen Schnitten. Alle blicken auf Cesar, der Luca fest im Arm hält und vor dem Sora und Saphira hocken und weinen.

Gabriel seufzt frustriert auf. »Was ist mit ihr?« Er wendet sich an Calin. »Sie ist eine von uns!«, erklärt er entschlossen, und Vladan flucht. »Der Scheiß schon wieder!« Nun steht Saphira auf und geht zu Calin, die Vampirin ist kaum noch zu halten. Raphael kommt und hilft Dorian. »Calin, Vladan hat recht, sie ist nicht mehr das Mädchen von früher, sieh sie dir an!« Calin schüttelt den Kopf und geht auf die Frau zu. »Doch, ist sie, tief in ihr ist sie Amanda, und ich werde nicht zulassen, dass jemand sie tötet«, fährt er Saphira an, die erschrocken zurückweicht.

Calin geht auf sie zu. »Saphira, ich meine, du musst das doch ...« Gabriel unterbricht ihn. »Konntet ihr Maurice bekommen?« Vladan schüttelt enttäuscht den Kopf. Gabriel tritt in die Mitte, inzwischen stehen alle in einem kleinen Kreis im Zentrum dieser Lichtung neben Cesar mit Luca im Arm. Gabriel sieht auf die Leiche des 16-jährigen Rudelmitgliedes. »Das heißt, er kommt wieder! Dieses Mal weiß er, was ihn erwartet, und das hier war noch gar nichts im Vergleich zu dem, was kommen wird!«

Lesen Sie weiter in:

Hijas de la luna – die Legende der Töchter des Mondes
Band 2

Entdecken Sie die

ergreifende Welt

von

Jaliah J.

CPSIA information can be obtained
at www.ICGtesting.com
Printed in the USA
BVHW071704180621
609899BV00003B/391